Коллекция самых
ярких рецептов

СУШИ–
истина вкуса

МОСКВА

ЭКСМО

2008

УДК 641/642
ББК 36.99
С 89

Фото *М. Гаманюк, В. Скиданов, А. Щеглова*

Художественное оформление *А. Мусина*

С 89 **Суши** — истина вкуса. — М.: Эксмо, 2008. — 224 с.: ил.

ISBN 978-5-699-29867-9

Суши, роллы, сашими, мисо... Кухня Японии богата и разнообразна, а главное — сегодня пользуется огромной популярностью. Кроме традиционных и уже полюбившихся блюд, в этой книге вы найдете рецепты закусок, салатов, супов и вторых блюд, которые помогут вам в любой момент быстро найти ответ на вопрос, чем удивить гостей и порадовать близких. От вас потребуется только желание создать правильную атмосферу!

УДК 641/642
ББК 36.99

СУШИ

УНАГИ

- *18 г копченого угря*
- *20 г отварного риса*
- *1 полоска нори*
- *лимон*
- *васаби*
- *зелень*

Сверху можно посыпать суши кунжутным семенем — это обогатит вкус блюда.

Сначала подготовить рис для суши и сформовать из него шарик. Смазать ломтик угря васаби и положить ее на шарик риса. Обмотать полоской нори шарик риса и пластинку рыбы. В завершение украсить суши лимоном и зеленью.

Сяке

- *20 г отварного риса*
- *18 г филе семги*
- *петрушка*
- *васаби*
- *лимон*

Сначала подготовить рис для суши и сформовать из него шарик. Смазать ломтик рыбы васаби и положить ее на шарик риса. В завершение украсить суши лимоном и петрушкой.

Рисовый уксус появился примерно в начале XV в. Всего через несколько лет он стал использоваться во время варки риса для суши.

30 мин

ЭБИ

- *20 г отварного риса*
- *1 креветка Эби*
- *петрушка*
- *васаби*
- *лимон*

Сначала подготовить рис для суши
и сформовать из него шарик.
Смазать креветку васаби
и положить ее на шарик риса.

*Старайтесь использовать нож
и вилку исключительно для
европейской кухни.*

В завершение украсить суши
лимоном и петрушкой.

АМО ЭБИ

- *120 г отварного риса*
- *2 тигровые креветки*
- *1 полоска нори*
- *лимон*
- *васаби*
- *петрушка*

Перед подачей на стол суши Амо эби украсить лимоном и веточкой петрушки.

Сначала подготовить рис для суши и сформовать из него шарик. Смазать креветки васаби и положить их на шарик риса.

Обмотать полоской нори шарик риса и креветки.

30 мин

11

ТАЙ

- 15 г отварного риса
- 20 г филе окуня
- васаби
- лимон
- петрушка

Сначала подготовить рис для
суши и сформовать из него шарик.
Смазать филе окуня васаби
и положить его на шарик риса.

При употреблении суши будьте
осторожны с соевым соусом,
так как его большое количество
может заглушить вкус риса.

В завершение оформить суши
лимоном и петрушкой.

12

Хоккигай

- 20 г отварного риса
- 1 штука хоккигай
- васаби
- лимон
- зелень

Сначала подготовить рис для суши и сформовать из него шарик. Надрезать моллюска и смазать его васаби. Уложить моллюска на шарик риса. В завершение оформить суши лимоном и зеленью.

Повар и поваренок

В 1800 г. суши впервые поступили в продажу. Это произошло в городе Эдо. Японец Йохей Ханая продавал с лотка нигири-суши, изобретенные им самолично.

30 мин

ИКА МАЕ

- *1 полоска нори*
- *20 г отварного риса*
- *20 г кальмаров*
- *3 г масаги*
- *майонез*
- *лимон*
- *петрушка*

Сначала подготовить рис для суши и сформовать из него шарик. Завернуть шарик риса в полоску нори. Смешать нарезанные кальмары, масагу и майонез. В завершение оформить суши лимоном и петрушкой.

Суши стали очень популярны во время Второй мировой войны. Тогда был распространен обмен десяти шариков нигири-суши на полную чашку сырого риса.

КАЙ ЕСЭ

* *20 г очищенных мидий*
* *20 г отварного риса*
* *1 полоска нори*
* *спайси соус*
* *лимон*
* *зелень*

Васаби очень полезен для работы пищеварительной системы, так как в нем содержится много витамина С.

Сначала подготовить рис для суши и сформовать из него шарик. Обмотать полоской нори шарик риса. Заправить мидии спайси соусом и выложить их на шарик риса. В завершение оформить суши лимоном и зеленью.

30 мин

СЯКЕ КАНАПЕ

- 10 г маринованной семги
- 10 г лососевой икры
- 20 г отварного риса
- 1 полоска нори
- лист салата
- зелень
- огурец

Сначала подготовить рис для суши. Сформовать из риса медальон диаметром 4 см. Обернуть медальон из риса полоской нори. На рис уложить лист салата. Сверху на салат положить кусочек

Во время приготовления многие продукты подвергаются тепловой обработке, что приводит к потере полезных свойств. Тепловой обработки суши не требует, поэтому продукты сохраняют все минералы и витамины.

семги. В завершение украсить суши промытой икрой, листиком салата, огурцом и зеленью.

КАНИ

- *15 г крабового мяса*
- *20 г отварного риса*
- *1 полоска нори*
- *майонез*
- *лимон*
- *петрушка*

Сначала подготовить рис для суши и сформовать из него шарик. Завернуть шарик риса в нори. Пропитать крабовое мясо майонезом и поместить на шарик риса. В завершение оформить суши лимоном и петрушкой.

40 мин

Микс спайси

- 20 г отварного риса
- 1 полоска нори
- спайси соус
- 7 г семги
- 7 г тунца
- 3 г масаги
- лимон
- петрушка

Циновка для приготовления суши носит название «маку-си». Производят ее из плоских бледно-зеленых бамбуковых палочек. Для скатывания роллов в ровные рулеты ее использовали еще в древности.

Сначала подготовить рис для суши и сформовать из него шарик. Завернуть шарик риса в нори. Перемешать семгу, тунца, масагу со спайси соусом и выложить на шарик риса. В завершение оформить суши лимоном и петрушкой.

18

Сяке кунсай

- 15 г маринованной семги
- 20 г отварного риса
- 1 полоска нори
- 10 г авокадо
- спайси соус
- лимон
- зелень

Сначала подготовить рис для суши. Сформовать из риса шарик и обмотать его полоской нори. Нарезать кубиками рыбу и авокадо. Перемешать продукты со спайси соусом. Выложить нарезанные продукты на шарик риса. В завершение оформить суши лимоном и зеленью.

45 мин

19

МУКИ ЭБИ

- 15 г очищенных креветок
- 20 г отварного риса
- 1 полоска нори
- спайси соус
- лимон
- зелень

Соевый соус приготавливают из соевых бобов. Он содержит необходимые человеку протеины, железо и магний.

Сначала подготовить рис для суши. Сформовать из риса шарик и обмотать его полоской нори. Заправить креветки спайси соусом и выложить их на шарик риса. В завершение оформить суши лимоном и зеленью.

Рок-н-ролл

- *10 г майонеза*
- *10 г икры летучей рыбы*
- *20 г отварного риса*
- *1 полоска нори*
- *1 креветка*
- *10 г авокадо*
- *10 г огурца*
- *лимон*
- *зелень*

*Водоросли нори богаты
минералами, протеином,
йодом и витаминами.
Самыми полезными являются
темные нори.*

Сначала подготовить рис для суши.
Сформовать из риса шарик
и обмотать его полоской нори.
Нарезать креветку, авокадо
и огурец. Перемешать нарезанные
продукты с икрой и заправить все
майонезом. Выложить
получившееся ассорти на шарик
с рисом. В завершение оформить
суши хвостиком креветки, лимоном
и зеленью.

40 мин

ИСОБИ

- 10 г лососевой икры
- 10 г сыра «Феттаки»
- 20 г отварного риса
- 10 г авокадо
- 1 полоска нори
- лимон
- зелень

Сначала подготовить рис для суши.
Сформовать из риса шарик
и обмотать его полоской нори.
Нарезать кубиками сыр и авокадо.
Перемешать нарезанные продукты

с икрой. Выложить получившееся
ассорти на шарик с рисом.
В завершение оформить суши
лимоном и зеленью.

*Тигровые креветки намного
длиннее обычных креветок эби.
Достигают они 20 см. Панцирь
тигровых креветок светло-
красноватый с сине-красными
и коричневыми полосками.*

Чука

- 200 г риса
- 100 г водорослей чука
- 500 мл рисового уксуса
- 40 мл соуса мирин
- 100 г сахара
- 1/4 лимона
- 10 г водорослей комбу
- 6 полосок нори

Существует версия о том, что суши миру подарили буддистские монахи. Этот метод приготовления рыбы они привезли из Китая в VII в. н. э.

Рис промывать до тех пор, пока вода не станет прозрачной. Высыпать в кастрюлю и залить холодной водой так, чтобы вода покрывала рис на 2 см, довести до готовности. Рисовый уксус, соус мирин, сахар, сок лимона и водоросли комбу перемешать и поставить на слабый огонь. Томить 15—20 минут, не доводя до кипения. Горячий рис заправить полученным соусом и остудить. Из охлажденного риса вылепить небольшие брусочки. Рис завернуть в полоски нори, один конец которой нужно смочить водой, чтобы получившаяся корзинка не развалилась. В полученные корзиночки сверху выложить водоросли чука.

1 ч

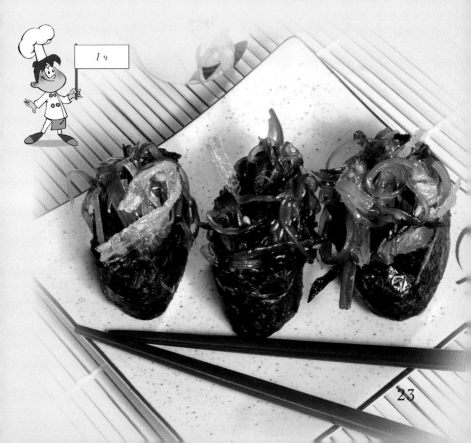

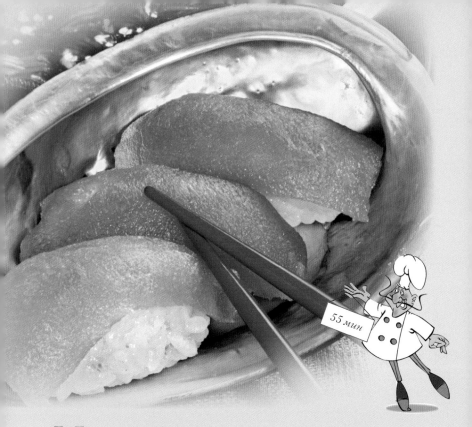

Магуро

- *200 г риса*
- *100 г тунца*
- *500 мл рисового уксуса*
- *40 мл соуса мирин*
- *100 г сахара*
- *1/4 лимона*
- *10 г водорослей комбу*

Рис промывать до тех пор, пока вода не станет прозрачной. Высыпать в кастрюлю и залить холодной водой так, чтобы вода покрывала рис на 2 см, довести до готовности. Рисовый уксус, соус мирин, сахар, сок лимона и водоросли комбу смешать и поставить на слабый огонь. Томить 15—20 минут, не доводя до кипения. Горячий рис заправить

Еще в V в. до н. э. уложенную слоями рыбу пересыпали солью и помещали под пресс. Затем перекладывали в бочки и оставляли «бродить». В результате получались суши — кусочки рыбы, готовые к употреблению.

полученным соусом и остудить. Из охлажденного риса вылепить брусочки. Тунец нарезать тонкими ломтиками. Ломтик тунца аккуратно выложить на рис, слегка прижав к нему с боков.

Тобико

- 200 г риса
- 100 г икры летучей рыбы
- 500 мл рисового уксуса
- 40 мл соуса мирин
- 100 г сахара
- 1/4 лимона
- 10 г водорослей комбу
- 6 полосок нори

Комбу употребляют как в маринованном, так и в сушеном виде, в составе салатов, супов и ряда других вторых блюд.

Рис промывать до тех пор, пока вода не станет прозрачной. Высыпать в кастрюлю и залить холодной водой так, чтобы вода покрывала рис на 2 см, довести до готовности. Рисовый уксус, соус мирин, сахар, сок лимона и водоросли комбу смешать и поставить на слабый огонь. Томить 15—20 минут, не доводя до кипения. Горячий рис заправить полученным соусом и остудить. Из охлажденного риса вылепить небольшие брусочки. Рис завернуть в полоски нори, один конец водоросли нужно смочить водой, чтобы получившаяся корзинка не развалилась. Сверху выложить икру летучей рыбы.

50 мин

ИКУРА

- 200 г риса
- 100 г лососевой икры
- 500 мл рисового уксуса
- 40 мл соуса мирин
- 100 г сахара
- 1/4 лимона
- 10 г водорослей комбу
- 6 полосок нори

Рисовый уксус появился в начале XV в. Через несколько лет его стали использовать при варке риса для суши.

Рис промывать до тех пор, пока вода не станет прозрачной. Высыпать в кастрюлю и залить холодной водой так, чтобы вода покрывала рис на 2 см, довести до готовности. Рисовый уксус, соус мирин, сахар, сок лимона и водоросли комбу смешать и поставить на слабый огонь. Томить 15—20 минут, не доводя до кипения. Горячий рис заправить полученным соусом и остудить. Из охлажденного риса вылепить небольшие брусочки. Рис завернуть в полоски нори, один конец водоросли нужно смочить водой, чтобы получившаяся корзинка не развалилась. В полученные корзиночки сверху аккуратно выложить икру лосося.

ХАМАТИ

- 200 г риса
- 100 г лакедры желтохвостой
- 500 мл рисового уксуса
- 40 мл соуса мирин
- 100 г сахара
- 1/4 лимона
- 10 г водорослей комбу

*Если вы едите японский суп,
то сначала выпейте бульон,
а затем палочками съешьте
остальное содержимое
супа.*

Рис промывать до тех пор, пока
вода не станет прозрачной.
Высыпать в кастрюлю и залить
холодной водой так, чтобы вода
покрывала рис на 2 см, довести
до готовности. Рисовый уксус,
соус мирин, сахар, сок лимона
и водоросли комбу смешать
и поставить на слабый огонь.
Томить 15—20 минут, не доводя
до кипения. Горячий рис заправить
полученным соусом и остудить.
Из охлажденного риса вылепить
небольшие брусочки. Лакедру
нарезать тонкими ломтиками
и выложить на рис. Чтобы кусок
рыбы плотнее прилегал к рису,
суши нужно зажать между большим
и указательным пальцами одной
руки и надавливить на рис снизу
пальцами другой руки. Готовые
суши можно слегка полить соусом.

50 мин

ТОМАГО

- *200 г риса*
- *3 яйца*
- *80 мл соевого соуса*
- *20 г сухого рыбного бульона*
- *500 мл рисового уксуса*
- *40 мл соуса мирин*
- *100 г сахара*
- *1/4 лимона*
- *10 г водорослей комбу*
- *6 полосок нори*

Икура — это зернистая икра лососевых рыб. С такой икрой готовят суши в виде корзиночки, а также в различных вариантах сашими.

Рис промывать до тех пор, пока вода не станет прозрачной. Высыпать в кастрюлю и залить холодной водой так, чтобы вода покрывала рис на 2 см, довести до готовности. Рисовый уксус, соус мирин, сахар, сок лимона и водоросли комбу смешать и поставить на слабый огонь. Томить 15—20 минут, не доводя до кипения. Горячий рис заправить полученным соусом и остудить.

Затем из риса вылепить брусочки. Яйца взбить с соевым соусом, добавить сухой рыбный бульон и немного сахара. Омлет сначала слегка обжарить с двух сторон, а затем с помощью лопатки свернуть его в рулет и жарить, пока не станет плотным. Омлет нарезать тонкими полосками. Кусочки омлета аккуратно выложить на брусок риса. Рис с омлетом обвязать тонкой полоской нори.

ТАКУА

- 200 г риса
- 100 г маринованной редьки
- 500 мл рисового уксуса
- 40 мл соуса мирин
- 100 г сахара
- 1/4 лимона
- 10 г водорослей комбу
- 6 полосок нори

Суши очень полезны. Они малокалорийны и готовятся из рыбы, содержащей кислоты, предотвращающие заболевания сердца и способствующие долголетию.

Рис промывать до тех пор, пока вода не станет прозрачной. Высыпать в кастрюлю и залить холодной водой так, чтобы вода покрывала рис на 2 см, довести до готовности. Рисовый уксус, соус мирин, сахар, сок лимона и водоросли комбу смешать и поставить на слабый огонь.

Томить 15—20 минут, не доводя до кипения. Горячий рис заправить полученным соусом и остудить. Затем из риса вылепить брусочки. Маринованную редьку разморозить, нарезать соломкой и аккуратно выложить на брусок риса. Обвязать тонкой полоской нори рис с редькой.

50 мин

ЗЕЛЕНОЕ ТОБИКО

- *200 г риса*
- *100 г зеленой икры летучей рыбы*
- *500 мл рисового уксуса*
- *40 мл соуса мирин*
- *100 г сахара*
- *1/4 лимона*
- *10 г водорослей комбу*
- *6 полосок нори*

В васаби содержится очень много витамина С, что прекрасно помогает работе пищеварительной системы.

Рис промывать до тех пор, пока вода не станет прозрачной. Высыпать в кастрюлю и залить холодной водой так, чтобы вода покрывала рис на 2 см, довести до готовности. Рисовый уксус, соус мирин, сахар, сок лимона и водоросли комбу смешать и поставить на слабый огонь. Томить 15—20 минут, не доводя до кипения. Горячий рис заправить полученным соусом и остудить. Из охлажденного риса вылепить небольшие брусочки. Рис завернуть в полоску нори, один конец которой нужно смочить водой, чтобы получившаяся корзинка не развалилась. В полученные корзиночки сверху выложить зеленую икру летучей рыбы.

Суши с авокадо

- *200 г очищенного риса*
- *1 авокадо*
- *50 г водорослей нори*
- *10 г васаби*

Тщательно промывать рис до тех пор, пока вода не станет прозрачной. Налить в кастрюлю с рисом небольшое количество воды и поставить на сильный огонь, довести до кипения. Убавить огонь и варить еще 7—10 минут в закрытой посуде до тех пор, пока вода не испарится. Увеличить огонь и варить еще 30 секунд. Рис должен подсохнуть. Затем снять кастрюлю с огня и держать рис в закрытой посуде около 20 минут. Аккуратно брать рис небольшими порциями и скатывать в виде колбасок. Авокадо очистить, вымыть в проточной воде и нарезать длинными ломтиками. Рисовые колбаски выложить на широкое блюдо, смазать тонким слоем васаби, сверху положить кусочки авокадо и замотать водорослями нори, нарезанными полосками шириной около 1,5 см.

1 ч

РОЛЛЫ

Сяки маке

- *1 лист нори размером 10 × 7 см*
- *100 г риса*
- *500 мл рисового уксуса*
- *40 мл мирина*
- *100 г сахара*
- *1/4 лимона*
- *10 г водорослей комбу*
- *20 г семги*

Плохим тоном является накалывание еды на палочки. Для того чтобы остудить пищу, не следует трясти палочками.

Сварить рис. Приготовить соус из рисового уксуса, сахара, сока лимона, водорослей комбу и мирина и заправить им рис. Дождаться, пока основа для роллов остынет.

На лист нори выложить рис, оставляя небольшой нахлест. Семгу нарезать тонкими полосками и выложить на рис. Сформовать из заготовки рулет круглой формы. Разрезать ролл на 6 равных частей.

УНАГИ РОЛЛ

- *1 лист нори размером 10 × 7 см*
- *100 г риса*
- *500 мл рисового уксуса*
- *40 мл мирина*
- *100 г сахара*
- *1/4 лимона*
- *10 г водорослей комбу*
- *20 г свежего огурца*
- *20 г копченого угря*
- *2 г кунжута*

Сварить рис. Приготовить соус из рисового уксуса, сахара, сока лимона, водорослей комбу и мирина и заправить им рис. Дождаться, пока основа для роллов остынет. На лист нори выложить рис, оставляя небольшой нахлест. Посыпать рис кунжутом. Огурец и копченого угря нарезать тонкими полосками и выложить на рис. Сформовать из заготовки рулет круглой формы и разрезать на 6 равных частей.

50 мин

35

КАЛИФОРНИЯ

- 1 лист нори размером 10 × 7 см
- 500 мл рисового уксуса
- 10 г водорослей комбу
- 40 мл мирина
- 100 г сахара
- 100 г риса
- 1/4 лимона
- 30 г свежего огурца
- 20 г тигровых креветок
- 30 г икры летучей рыбы
- 30 г авокадо

*Не облизывайте палочки!
В тот момент, когда вы ими не
пользуетесь, положите палочки
острыми концами влево.*

Сварить рис. Приготовить соус из рисового уксуса, сахара, сока лимона, водорослей комбу и мирина и заправить им рис. Дождаться, пока основа для роллов остынет. На лист нори выложить рис. На рис положить икру, равномерно распределив ее, затем лист перевернуть рисом вниз. Креветки нарезать небольшими кусочками и выложить на лист нори. Нарезать огурец и авокадо тонкими полосками и выложить на лист нори. Сформовать из заготовки рулет квадратной формы и разрезать на 6 равных частей.

36

КАЛИФОРНИЯ-2

- *1 лист нори размером 10 × 7 см*
- *200 г риса*
- *500 мл рисового уксуса*
- *40 мл соуса мирин*
- *140 г сахара*
- *1/4 лимона*
- *10 г водорослей комбу*
- *по 30 г огурца и авокадо*
- *по 30 г семги и копченого угря*
- *30 г икры летучей рыбы*
- *3 яйца*
- *80 мл соевого соуса*
- *20 г сухого рыбного бульона*
- *немного семян кунжута*

Рис вымыть, высыпать в кастрюлю и залить холодной водой так, чтобы вода покрывала его на 2 см, сварить. Рисовый уксус, соус мирин, 100 г сахара, сок лимона и водоросли комбу смешать и поставить на слабый огонь. Томить 15—20 минут, не доводя до кипения. Горячий рис заправить полученным соусом и остудить. Рыбный омлет: яйца взбить с соевым соусом, добавить сухой рыбный бульон и 40 г сахара. Все хорошо перемешать. Омлет сначала слегка обжарить с двух сторон, а затем с помощью лопатки свернуть его в рулет и жарить, пока не станет плотным. На лист нори выложить рис. На рис выложить икру, равномерно распределив ее. Сверху все посыпать семенами кунжута и перевернуть. Огурец, авокадо, омлет, семгу и копченый угорь нарезать полосками и выложить на лист нори. Сформовать из заготовки рулет квадратной формы и разрезать на 6 равных частей.

1 ч 10 мин

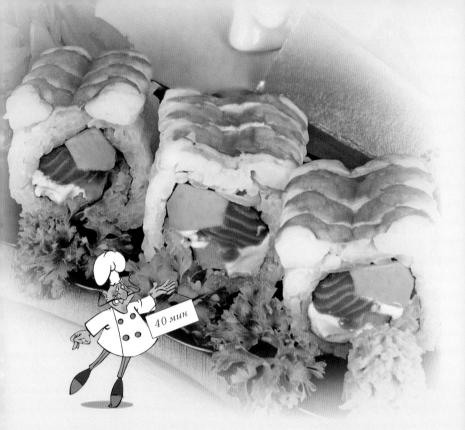

Аляска

- *1 лист нори размером 10 × 7 см*
- *70 г риса*
- *500 мл рисового уксуса*
- *40 мл мирина*
- *100 г сахар*
- *1/4 лимона*
- *10 г водорослей комбу*
- *20 г маринованной семги*
- *10 г сыра «Феттаки»*
- *25 г авокадо*
- *15 г огурца*
- *2 креветки*
- *васаби*
- *лимон*

Сварить рис. Приготовить соус из рисового уксуса, сахара, сока лимона, водорослей комбу и мирина и заправить им рис.

Ни в коем случае нельзя передавать другому человеку еду своими палочками.
Никогда не используйте палочки для жестикуляции.

Дождаться, пока основа для роллов остынет. На лист нори ровным слоем выложить рис. Перевернуть лист нори и смазать обратную сторону васаби. Сверху уложить сыр, рыбу, авокадо и огурец, нарезанные брусочками. Сформовать из заготовки ролл квадратной формы и разрезать его на 6 кусочков. Сверху уложить креветки.

КАНАДСКИЙ РОЛЛ

- *1 лист нори размером 10 × 7 см*
- *70 г риса*
- *500 мл рисового уксуса*
- *40 мл мирина*
- *100 г сахара*
- *1/4 лимона*
- *10 г водорослей комбу*
- *20 г маринованной семги*
- *15 г сыра «Феттаки»*
- *50 г копченого угря*
- *25 г авокадо*
- *10 г огурца*
- *кунжутное семя*
- *соус для угря*

Каждый ролл можно украсить лимоном и зеленью.

Сварить рис. Приготовить соус из рисового уксуса, сахара, сока лимона, водорослей комбу и мирина и заправить им рис. Дождаться, пока основа для роллов остынет. На лист нори ровным слоем выложить рис. Нарезать тонкими брусочками авокадо и огурец. Перевернуть лист нори и на обратную сторону выложить сыр, семгу, брусочки авокадо и огурца. Сформовать из заготовки ролл квадратной формы и выложить на него угря. Разрезать ролл на 3 части. Полить соусом для угря и посыпать кунжутом.

40 мин

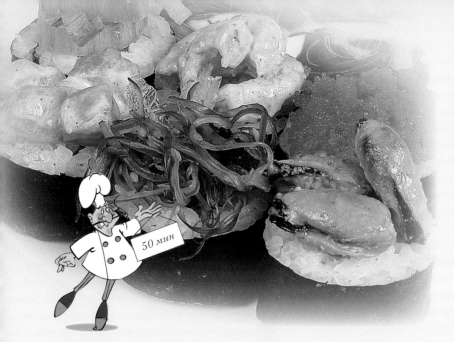

КАНАПЕ СЭТО

- *1 лист нори размером 14 × 20 см*
- *130 г риса*
- *500 мл рисового уксуса*
- *40 мл мирина*
- *100 г сахара*
- *1/4 лимона*
- *10 г водорослей комбу*
- *10 г очищенных креветок*
- *14 г очищенных мидий*
- *12 г салата «Кайсо сарада»*
- *10 г икры летучей рыбы*
- *30 г спайси соуса*
- *15 г филе семги*
- *10 г лука-порея*
- *15 г моркови*
- *15 г дайкона*
- *15 г огурца*

Сварить рис. Приготовить соус из рисового уксуса, сахара, сока лимона, водорослей комбу и мирина и заправить им рис.

Дождаться, пока основа для роллов остынет. На лист нори ровным слоем выложить рис. Нарезать соломкой огурец, морковь и дайкон. Выложить нарезанные овощи в середину листа нори. Скатать круглый ролл и разрезать его на 6 кусочков. На получившиеся кусочки положить следующие ингредиенты: салат «Кайсо сарада», креветки в спайси соусе, мидии в спайси соусе, семгу в спайси соусе и икру летучей рыбы.

Радуга

- 1 лист нори размером 10 × 7 см
- 150 г риса
- 500 мл рисового уксуса
- 40 мл мирина
- 100 г сахара
- 1/4 лимона
- 10 г водорослей комбу
- 15 г салата лолло-россо
- 40 г филе семги
- 40 г филе тунца
- 50 г авокадо
- 1 порция калифорнийской смеси

Сварить рис. Приготовить соус из рисового уксуса, сахара, сока лимона, водорослей комбу и мирина и заправить им рис. Дождаться, пока основа для роллов остынет. Перевернуть лист нори и на обратную сторону поместить лист салата лолло-россо. На лист салата выложить калифорнийскую смесь и авокадо. Свернуть ролл и выложить на него филе семги и тунца, нарезанное треугольниками. Разрезать ролл на 6 частей.

50 мин

МАКИ ДИСКО

- *1 лист нори размером 10 × 7 см*
- *100 г риса*
- *500 мл рисового уксуса*
- *40 мл мирина*
- *100 г сахара*
- *1/4 лимона*
- *10 г водорослей комбу*
- *15 г икра летучей рыбы*
- *20 г семги*
- *1 порция калифорнийской смеси*
- *15 г авокадо*
- *20 г угря*
- *кунжут*
- *зелень*

Сварить рис. Приготовить соус из рисового уксуса, сахара, сока лимона, водорослей комбу и мирина и заправить им рис.

Любой японец воспримет угрожающим следующий жест: если вы сожмете две палочки в кулаке. После окончания трапезы палочки следует положить на специальную подставку.

Дождаться, пока основа для роллов остынет. Выложить рис на лист нори. На рис уложить икру летучей рыбы, кунжут и зелень. Перевернуть лист нори и на обратную сторону поместить калифорнийскую смесь и семгу. Нарезать авокадо и угря, а затем уложить их на лист нори. Свернуть ролл и разрезать его на 6 частей.

ЦЕЗАРЬ

- 1 лист нори размером 10 × 7 см
- 150 г риса
- 500 мл рисового уксуса
- 40 мл мирина
- 100 г сахара
- 1/4 лимона
- 10 г водорослей комбу
- 40 г обжаренной куриной грудки
- 20 г сыра «Грана Падано»
- 20 г салата лолло-россо
- 20 г бекона
- 20 г огурца
- 20 г авокадо
- кунжутное семя

С первого раза сложно освоить искусство еды при помощи палочек, поэтому не стесняйтесь воспользоваться помощью официанта и попросите его показать вам, как правильно их использовать.

Сварить рис. Приготовить соус из рисового уксуса, сахара, сока лимона, водорослей комбу и мирина и заправить им рис. Дождаться, пока основа для роллов остынет. На лист нори ровным слоем выложить рис и посыпать его кунжутом. Перевернуть лист нори и на обратную сторону выложить салат лолло-россо, куриную грудку, сыр и бекон. В последнюю очередь положить на лист нори огурец и авокадо. Свернуть ролл и разрезать его на 6 частей.

40 мин

ЯСАЙ РОРУ

- *1 лист нори размером 10 × 7 см*
- *150 г риса*
- *500 мл рисового уксуса*
- *40 мл мирина*
- *100 г сахара*
- *1/4 лимона*
- *10 г водорослей комбу*
- *20 г жареных шампиньонов*
- *60 г болгарского перца*
- *10 г салата лолло россо*
- *20 г моркови*
- *30 г огурца*
- *30 г авокадо*

Никогда не покупайте морепродукты, если упаковочный пакет вскрыт или условия хранения сомнительные. Не забывайте посмотреть дату производства и срок годности на упаковке.

Сварить рис. Приготовить соус из рисового уксуса, сахара, сока лимона, водорослей комбу и мирина и заправить им рис.

Дождаться, пока основа для роллов остынет. На рис выложить мелко нарезанный болгарский перец. Перевернуть лист нори и на обратную сторону выложить салат лолло-россо и морковь. Затем выложить на лист нори шампиньоны, огурец и авокадо. Сформовать ролл и разрезать его на 6 частей.

НОРИТО РОЛЛ

- *1 лист нори размером 10 × 7 см*
- *50 г риса*
- *500 мл рисового уксуса*
- *40 мл мирина*
- *100 г сахара*
- *1/4 лимона*
- *10 г водорослей комбу*
- *10 г майонеза*
- *80 г копченного угря*
- *20 г крабового мяса*
- *кунжутное семя*
- *унаги соус*

Сварить рис. Приготовить соус из рисового уксуса, сахара, сока лимона, водорослей комбу и мирина и заправить им рис. Дождаться, пока основа для роллов остынет. Завернуть рис в пластинку угря и обмотать ее листом нори. Заправить крабовое мясо майонезом и выложить его сверху. Полить унаги соусом и посыпать кунжутом.

50 мин

КИОТО РОЛЛ

- *1 лист нори размером 10 × 7 см*
- *50 г маринованной семги*
- *30 г очищенных креветок*
- *10 г лососевой икры*
- *15 г сыра «Феттаки»*
- *10 г салата лолло-россо*
- *30 г авокадо*
- *15 г огурца*
- *лимон*
- *зелень*

Нарезать огурец, авокадо, сыр и креветки. Уложить на лист салата нарезанные продукты. Получившийся ролл плотно

закрутить в пласт семги. Завернуть ролл в пластинки нори и разрезать на 3 части. Установить кусочки вертикально и выложить на них красную икру. Каждый получившийся кусочек оформить лимоном и зеленью.

Бостон ролл

- 1 лист нори размером 10 × 7 см
- 150 г риса
- 500 мл рисового уксуса
- 40 мл мирина
- 100 г сахара
- 1/4 лимона
- 10 г водорослей комбу
- 1 порция калифорнийской смеси
- 10 г майонеза
- 40 г филе семги
- 50 г авокадо
- 30 г огурца
- зеленый лук

Сварить рис. Приготовить соус из рисового уксуса, сахара, сока лимона, водорослей комбу и мирина и заправить им рис. Дождаться, пока основа для роллов остынет. На лист нори ровным слоем выложить рис. Перевернуть лист нори и выложить на него калифорнийскую смесь, огурец и авокадо. Сформовать квадратный ролл. Заправить рубленую семгу майонезом и выложить ее на ролл. Сверху посыпать ролл зеленым луком и разрезать его на 6 частей.

50 мин

Нидзи

- *1 лист нори размером 10 × 7 см*
- *150 г риса*
- *500 мл рисового уксуса*
- *40 мл мирина*
- *100 г сахара*
- *1/4 лимона*
- *10 г водорослей комбу*
- *30 г маринованной семги*
- *10 г лососевой икры*
- *10 г салата лолло-россо*
- *15 г сыра «Феттаки»*
- *30 г огурца*
- *зелень*
- *кунжутное семя*

Сварить рис. Приготовить соус из рисового уксуса, сахара, сока лимона, водорослей комбу

Блюда, приготовленные на гриле, сковороде или во фритюре, по-японски имеют одинаковое название — «обжаренные на огне».

и мирина и заправить им рис. Дождаться, пока основа для роллов остынет. На лист нори ровным слоем выложить рис. Поверх риса поместить рубленую зелень и кунжут. Перевернуть лист нори и поместить на него лист салата, брусок маринованной семги, огурец, икру и сыр. Сформовать квадратный ролл, разрезать его на 6 частей и украсить икрой.

ЖЕЛТОЕ МОРЕ

- 60 г риса
- 500 мл рисового уксуса
- 40 мл мирина
- 100 г сахара
- 1/4 лимона
- 10 г водорослей комбу
- 120 г филе семги
- 40 г огурца
- кунжутное семя
- васаби
- лимон
- зелень

Сварить рис. Приготовить соус из
рисового уксуса, сахара, сока
лимона, водорослей комбу
и мирина и заправить им рис.

В гриле еда готовится на
сильном огне, поэтому внешняя
сторона становится хрустящей,
внутренняя же остается сочной
и мягкой, не теряя аромата
продукта.

Дождаться, пока основа для
роллов остынет. На пластинку
семги ровным слоем уложить рис,
сверху намазать васаби. Затем
посыпать все кунжутом и уложить
нашинкованный огурец.
Сформовать квадратный ролл
и разрезать его на 4 части.
Оформить лимоном и зеленью.

40 мин

СПАЙСИ-РОЛЛ

- *1 лист нори размером 10 × 7 см*
- *150 г риса*
- *500 мл рисового уксуса*
- *40 мл мирина*
- *100 г сахара*
- *1/4 лимона*
- *10 г водорослей комбу*
- *60 г филе семги*
- *50 г авокадо*
- *15 г огурца*
- *спайси-соус*
- *зелень*

Сварить рис. Приготовить соус из рисового уксуса, сахара, сока лимона, водорослей комбу и мирина и заправить им рис. Дождаться, пока основа для роллов остынет. На лист нори ровным слоем выложить рис. Перевернуть лист нори и выложить на него заправленную спайси-соусом рыбу. Выложить на лист нори огурец и авокадо. Сформовать круглый ролл и разрезать его на 6 частей. Каждый получившийся кусочек оформить лимоном и зеленью.

Унадзю тека маки

- *1 лист нори размером 10 × 7 см*
- *150 г риса*
- *500 мл рисового уксуса*
- *40 мл мирина*
- *100 г сахара*
- *1/4 лимона*
- *10 г водорослей комбу*
- *25 г копченого угря*
- *30 г филе тунца*
- *15 г огурца*
- *50 г авокадо*
- *кунжутное семя*

Сварить рис. Приготовить соус из рисового уксуса, сахара, сока лимона, водорослей комбу и мирина и заправить им рис. Дождаться, пока основа для роллов остынет. На лист нори ровным слоем выложить рис. Перевернуть лист нори и выложить на него угря и тунца. На лист нори уложить ломтики огурца и авокадо. Сформовать квадратный ролл и разрезать его на 6 частей. Обвалять роллы в кунжуте.

50 мин

ДРАКОН РОРУ

- 1 лист нори размером 10 × 7 см
- 150 г риса
- 500 мл рисового уксуса
- 40 мл мирина
- 100 г сахара
- 1/4 лимона
- 10 г водорослей комбу
- 50 мл растительного масла
- 50 мл темпурного кляра
- 10 г лососевой икры
- 3 креветки
- 60 г авокадо
- 45 г огурца
- 10 г салата
- кунжутное семя

Сварить рис. Приготовить соус из рисового уксуса, сахара, сока лимона, водорослей комбу и мирина и заправить им рис. Дождаться, пока основа для роллов остынет. На лист нори ровным слоем выложить рис. Перевернуть лист нори и выложить на него салат и огурец. На лист салата уложить креветки, предварительно обжаренные в кляре. Сформовать ролл и выложить на него авокадо. Разрезать ролл на 6 частей.

Хоккайдо ролл

- *1 лист нори размером 5 × 4 см*
- *70 г риса*
- *500 мл рисового уксуса*
- *40 мл мирина*
- *100 г сахара*
- *1/4 лимона*
- *10 г водорослей комбу*
- *15 г икры летучей рыбы*
- *20 г копченого угря*
- *10 г крабового мяса*
- *15 г авокадо*
- *40 г ананаса*
- *10 г огурца*

Сварить рис. Приготовить соус из рисового уксуса, сахара, сока лимона, водорослей комбу и мирина и заправить им рис.

В японском языке существует понятие «о-яцу», где «яцу» означает промежуток времени между 2 и 3 часами дня, также называемый часом овцы, — «перекусом между обедом и ужином».

Дождаться, пока основа для роллов остынет. Выложить рис на лист нори, а поверх риса — икру летучей рыбы. Перевернуть лист нори и выложить на него крабовое мясо, авокадо, ананас и огурец. Сформовать ролл и положить на него копченого угря. Разрезать ролл на 6 частей.

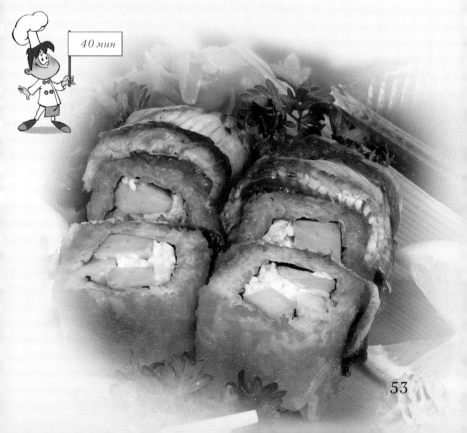

40 мин

ФУТО МАКИ

- 1 лист нори размером 10 × 7 см
- 100 г риса
- 500 мл рисового уксуса
- 40 мл мирина
- 100 г сахара
- 1/4 лимона
- 10 г водорослей комбу
- 30 г семги
- 30 г авокадо
- 2 тигровые креветки

Сварить рис. Приготовить соус из рисового уксуса, сахара, сока лимона, водорослей комбу и мирина и заправить им рис. Дождаться, пока основа для роллов остынет. Сначала выложить на лист нори рис, потом креветки. Поверх креветок на рис положить семгу и авокадо. Сформовать ролл и разрезать его на 6 частей.

Курасику

- *200 г риса*
- *500 мл рисового уксуса*
- *40 мл соуса мирин*
- *100 г сахара*
- *1/4 лимона*
- *10 г водорослей комбу*
- *1 лист нори размером 10 × 7 см*
- *30 г тунца*
- *30 г огурца*
- *30 г авокадо*
- *немного семян кунжута*

Рис вымыть, высыпать в кастрюлю и залить холодной водой так, чтобы вода покрывала его на 2 см, довести до готовности. Рисовый уксус, соус мирин, сахар, сок лимона и водоросли комбу перемешать и поставить на слабый огонь. Томить 15—20 минут, не доводя до кипения. Горячий рис заправить полученным соусом и остудить. На лист нори выложить рис, оставляя небольшой нахлест. Сверху посыпать семенами кунжута и перевернуть рисом вниз. Тунец, огурец, авокадо нарезать тонкими полосками и выложить на лист нори. Сформовать ролл, придав ему квадратную форму. Перед подачей на стол разрезать на 6 равных частей.

40 мин

Гавайский ролл

- *1 лист нори размером 10×7 см*
- *200 г риса*
- *500 мл рисового уксуса*
- *40 мл соуса мирин*
- *140 г сахара*
- *1/4 лимона*
- *10 г водорослей комбу*
- *по 30 г огурца и авокадо*
- *100 г семги*
- *50 г зеленой икры летучей рыбы*
- *3 яйца*
- *80 мл соевого соуса*
- *20 г сухого рыбного бульона*

Рис вымыть, высыпать в кастрюлю и залить холодной водой так, чтобы вода покрывала рис на 2 см, сварить. Рисовый уксус, соус

мирин, 100 г сахара, сок лимона и водоросли комбу перемешать и поставить на слабый огонь. Томить 15—20 минут, не доводя до кипения. Горячий рис заправить соусом и остудить. Рыбный омлет: яйца взбить с соевым соусом, добавить сухой рыбный бульон и 40 г сахара. Все хорошо перемешать и обжаривать, как описано на стр. 28. На лист нори выложить рис. На рис выложить икру, равномерно распределив ее, и перевернуть. Семгу обжарить на сильном огне. Жареную семгу, омлет, огурец и авокадо нарезать полосками и выложить на лист нори. Сформовать ролл квадратной формы и разрезать на 6 равных частей.

Домашний ролл

- *200 г риса*
- *500 мл рисового уксуса*
- *40 мл соуса мирин*
- *100 г сахара*
- *1/4 лимона*
- *10 г водорослей комбу*
- *1 лист нори размером 10 × 7 см*
- *по 30 г огурца и авокадо*
- *40 г сладких креветок*
- *50 г семги*
- *30 г икры летучей рыбы*

Рис промывать до тех пор, пока вода не станет прозрачной. Высыпать в кастрюлю и залить холодной водой так, чтобы вода покрывала рис на 2 см, довести до готовности. Рисовый уксус, соус мирин, сахар, сок лимона и водоросли комбу смешать и поставить на слабый огонь. Томить 15—20 минут, не доводя до кипения. Горячий рис заправить полученным соусом и остудить. На лист нори выложить рис. На рис выложить икру, равномерно распределив ее, затем лист перевернуть. Огурец и авокадо нарезать тонкими полосками, семгу и креветки — небольшими кусочками и выложить на лист нори. Сформовать ролл круглой формы и разрезать на 6 равных частей.

40 мин

ХАЙ-ТЕКУ

- 1 лист нори размером 10 × 7 см
- 200 г риса
- 500 мл рисового уксуса
- 40 мл соуса мирин
- 140 г сахара
- 1/4 лимона
- 10 г водорослей комбу
- 30 г огурца
- 30 г копченого угря
- немного семян кунжута
- 3 яйца
- 80 мл соевого соуса
- 20 г сухого рыбного бульона

Рис вымыть, высыпать в кастрюлю и залить холодной водой так, чтобы вода покрывала рис на 2 см, сварить. Рисовый уксус, соус мирин, 100 г сахара, сок лимона и водоросли комбу перемешать и поставить на слабый огонь. Томить 15—20 минут, не доводя до кипения. Горячий рис заправить соусом и остудить. Рыбный омлет: яйца взбить с соевым соусом, добавить сухой рыбный бульон и 40 г сахара. Перемешать и обжаривать, как описано на стр. 28. На лист нори выложить рис, оставляя небольшой нахлест. Рис посыпать кунжутом и перевернуть вниз. Огурец, копченый угорь и омлет нарезать тонкими полосками и выложить на лист нори. Сформовать ролл квадратной формы и разрезать на 6 равных частей.

Капу-маки

- 1 лист нори размером 10 × 7 см
- 100 г риса
- 500 мл рисового уксуса
- 40 мл соуса мирин
- 100 г сахара
- 1/4 лимона
- 10 г водорослей комбу
- 30 г огурца

Суши и роллы принято подавать на стол с имбирем. Имбирь считают одним из лучших натуральных антисептиков, улучшающих пищеварение и повышающих иммунитет организма.

Рис промывать до тех пор, пока вода не станет прозрачной. Высыпать в кастрюлю и залить холодной водой так, чтобы вода покрывала рис на 2 см, довести до готовности. Рисовый уксус, соус мирин, сахар, сок лимона и водоросли комбу перемешать и поставить на слабый огонь.

Томить 15—20 минут, не доводя до кипения. Горячий рис заправить полученным соусом и остудить. На лист нори выложить рис, оставляя небольшой нахлест. Огурец нарезать тонкими длинными полосками и выложить на рис. Сформовать ролл квадратной формы и разрезать на 6 равных частей.

50 мин

ТЭКА-МАКИ

- *1 лист нори размером 10 × 7 см*
- *100 г риса*
- *500 мл рисового уксуса*
- *40 мл соуса мирин*
- *100 г сахара*
- *1/4 лимона*
- *10 г водорослей комбу*
- *50 г тунца*

Рис промывать до тех пор, пока вода не станет прозрачной. Высыпать в кастрюлю и залить холодной водой так, чтобы вода покрывала рис на 2 см, довести до готовности. Рисовый уксус, соус мирин, сахар, сок лимона и водоросли комбу перемешать и поставить на слабый огонь. Томить 15—20 минут, не доводя до кипения. Горячий рис заправить полученным соусом и остудить. На лист нори выложить рис, оставляя небольшой нахлест. Тунец нарезать длинными полосками и выложить на рис. Сформовать ролл треугольной формы и разрезать на 6 равных частей.

Хамоти

- *1 лист нори размером 10 × 7 см*
- *100 г риса*
- *500 мл рисового уксуса*
- *40 мл соуса мирин*
- *100 г сахара*
- *1/4 лимона*
- *10 г водорослей комбу*
- *50 г лакедры желтохвостой*

Морские водоросли нори богаты протеином, минералами, йодом, витаминами A, B_1, B_2, B_6, C. Особенно полезны темные нори, так как их качество значительно выше.

Рис промывать до тех пор, пока вода не станет прозрачной. Высыпать в кастрюлю и залить холодной водой так, чтобы вода покрывала рис на 2 см, довести до готовности. Рисовый уксус, соус мирин, сахар, сок лимона и водоросли комбу перемешать и поставить на слабый огонь.

Томить 15—20 минут, не доводя до кипения. Горячий рис заправить полученным соусом и остудить. На лист нори выложить рис, оставляя небольшой нахлест. Лакедру желтохвостую нарезать полосками и выложить на рис. Сформовать из заготовки ролл треугольной формы и разрезать на 6 равных частей.

50 мин

ИКА-РОРУ

- *1 лист нори размером 10 × 7 см*
- *1 тонкая полоска нори*
- *100 г риса*
- *500 мл рисового уксуса*
- *40 мл соуса мирин*
- *100 г сахара*
- *1/4 лимона*
- *10 г водорослей комбу*
- *50 г кальмаров*

Тигровые креветки отличаются от обычных эби длиной (до 20 см), их панцирь светло-красноватый с коричневыми и сине-красными полосками.

Рис промывать до тех пор, пока вода не станет прозрачной. Высыпать в кастрюлю и залить холодной водой так, чтобы вода покрывала рис на 2 см, довести до готовности. Рисовый уксус, соус мирин, сахар, сок лимона и водоросли комбу перемешать и поставить на слабый огонь.

Томить 15—20 минут, не доводя до кипения. Горячий рис заправить полученным соусом и остудить. На лист нори выложить рис, оставляя небольшой нахлест. Положить на рис тонкую полоску нори. Кальмары нарезать тонкими длинными кусочками и выложить на полоску нори. Сформовать из заготовки рулет круглой формы и разрезать на 6 равных частей.

ТЕЙШОКУ

- *1 лист нори размером 20 × 14 см*
- *150 г риса*
- *500 мл рисового уксуса*
- *40 мл соуса мирин*
- *100 г сахара*
- *1/4 лимона*
- *10 г водорослей комбу*
- *20 г семги*
- *20 г соленого огурца*
- *20 г сливочного сыра*

Для изготовления роллов используют листы нори, поэтому и сами роллы часто носят название «нори-маки». Маки означает «ролл».

Рис промывать до тех пор, пока вода не станет прозрачной. Высыпать в кастрюлю и залить холодной водой так, чтобы вода покрывала рис на 2 см, довести до готовности. Рисовый уксус, соус мирин, сахар, сок лимона и водоросли комбу смешать и поставить на слабый огонь. Томить 15—20 минут, не доводя до кипения. Горячий рис заправить полученным соусом и остудить. На лист нори выложить рис, оставляя небольшой нахлест. Семгу, сливочный сыр и соленые огурцы нарезать тонкими полосками и выложить на рис. Сформовать из заготовки рулет круглой формы и разрезать на 6 равных частей.

50 мин

РОЛЛ С ГРИБАМИ

- *1 лист нори размером 20 × 14 см*
- *150 г риса*
- *500 мл рисового уксуса*
- *40 мл соуса мирин*
- *100 г сахара*
- *1/4 лимона*
- *10 г водорослей комбу*
- *30 г маринованных грибов*
- *30 г огурцов*
- *30 г авокадо*

В небольшом количестве имбирь употребляют перед поеданием каждого вида суши или роллов, так как он служит для очищения нёба от вкуса ранее употребленного суши.

Рис промывать до тех пор, пока вода не станет прозрачной. Высыпать в кастрюлю и залить холодной водой так, чтобы вода покрывала рис на 2 см, довести до готовности. Рисовый уксус, соус мирин, сахар, сок лимона и водоросли комбу перемешать и поставить на слабый огонь.

Томить 15—20 минут, не доводя до кипения. Горячий рис заправить полученным соусом и остудить. На лист нори выложить рис, оставляя небольшой нахлест. Огурцы, авокадо и маринованные грибы нарезать тонкими полосками и выложить на рис. Сформовать из заготовки рулет круглой формы и разрезать на 6 равных частей.

Мозаика

- *2 листа нори размером 10 × 7 см*
- *100 г риса*
- *500 мл рисового уксуса*
- *40 мл соуса мирин*
- *100 г сахара*
- *1/4 лимона*
- *10 г водорослей комбу*
- *20 г икры летучей рыбы*
- *20 г свежего огурца*
- *20 г плавленого сыра*

Рис промывать до тех пор, пока вода не станет прозрачной. Высыпать в кастрюлю и залить холодной водой так, чтобы вода покрывала рис на 2 см, довести до готовности. Рисовый уксус, соус мирин, сахар, сок лимона и водоросли комбу перемешать и поставить на слабый огонь. Томить 15—20 минут, не доводя до кипения. Горячий рис заправить полученным соусом и остудить. Рис смешать с икрой летучей рыбы, выложить на лист нори, сформовать рулет круглой формы и разрезать вдоль на 4 части. 2 части разрезанного ролла выложить на лист нори. Свежий огурец и плавленый сыр нарезать тонкими полосками и выложить на разрезанный ролл. Остальными частями разрезанного ролла накрыть сыр и огурец. Сформовать ролл квадратной формы и разделить на 5 равных частей.

50 мин

РОЛЛ
С ТРОПИЧЕСКИМИ
ФРУКТАМИ

- *70 г риса*
- *100 мл молока*
- *50 г сливочного сыра*
- *1 мандарин*
- *1 киви*
- *30 г тертого шоколада*
- *2 ч. ложки сахара*
- *разноцветная кокосовая стружка*
- *пищевой краситель*

Рис замочить в воде на 1,5—2 часа. В кастрюлю налить молоко (в пропорции 1 : 1 с рисом), добавить сахар и размоченный рис. Довести рис до готовности.

Мандарин разделить на дольки. Киви нарезать брусочками. Сливочный сыр окрасить пищевым красителем. Бамбуковый коврик (макису) обернуть сверху пищевой пленкой. Поверх пленки положить рисовую бумагу. Выложить рис и разровнять. Подождать некоторое время, чтобы рисовая бумага пропиталась и стала пластичной. Осторожно перевернуть лист так, чтобы рис оказался внизу, на пленке. Отступив 1,5 см от края, уложить брусочки сливочного сыра, киви, дольки мандарина и посыпать тертым шоколадом. Сформовать ролл с помощью коврика, посыпать кокосовой стружкой.

Сяке авокадо ролл

- *100 г копченого лосося*
- *300 г готового риса*
- *100 г авокадо*
- *100 г огурцов*
- *3 листа нори*
- *100 г икры лососевых рыб*
- *3 ст. ложки соевого соуса*
- *водоросли вакаме*
- *маринованный имбирь*
- *паста васаби*
- *кунжутное семя*

Расстелить на столе коврик. Расположить сверху лист нори (сторона расположения листа для этого вида роллов не имеет принципиального значения).

Выложить рис на водоросль и аккуратно разровнять рис слоем толщиной 1 см по всей поверхности. Подождать некоторое время, чтобы водоросль впитала влагу и рис к ней прилип. Осторожно взять край водоросли и быстро перевернуть рисом вниз. Намазать лист васаби (по вкусу). Отступив от края на 1,5 см, расположить авокадо, нарезанный брусочками толщиной 1 см, нарезанные огурцы и тонкие ломтики копченого лосося и свернуть. Сверху ролл посыпать икрой и кунжутом. Подавать с соевым соусом и маринованным имбирем. Для украшения положить водоросли вакаме.

50 мин

Гунканмаки

- *400 г вареного риса*
- *1,5 листа нори*
- *1/2 авокадо*
- *1/2 лимона*
- *1/2 пучка кресс-салата*
- *100 г икры лосося*
- *100 г крабового мяса*
- *по 2 ст. ложки нарезанных укропа и зеленого лука*
- *70 г майонеза*
- *соль и молотый перец по вкусу*

Приготовить начинку из авокадо. Авокадо вымыть, очистить от кожицы, разрезать пополам и удалить косточку, мякоть нарезать маленькими кусочками. Вымытый кресс-салат обсушить и мелко нарезать, смешать с кусочками авокадо, сбрызнуть лимонным соком, посолить и поперчить по вкусу. Приготовить начинку из мяса краба. Крабовое мясо очистить от хитиновых пластинок, измельчить, смешать с мелко нарезанным зеленым луком и майонезом, посолить и поперчить по вкусу, хорошо перемешать. Приготовить начинку из лососевой икры. Лососевую икру смешать с мелко нарезанной зеленью укропа.

Лист нори нарезать полосками по 3,5 см из вареного риса сделать шарики диаметром 2,5—3 см. каждый шарик обернуть полоской нори таким образом, чтобы края полосок заходили друг на друга. Скрепить полоски нори с помощью размятых пальцами рисинок. На каждый шарик сверху положить приготовленную начинку.

Спайсу каппа

- *250 мл воды*
- *180 г риса*
- *1,5 ст. ложки уксуса (3%-ного)*
- *1, 5 ст. ложки лимонного сока*
- *2 ст. ложки сахарного песка*
- *0,5 ч. ложки соли*
- *Для суси:*
- *1 лист нори*
- *250 г риса*
- *1 ч. ложка горчицы*
- *1 небольшой огурец*
- *1 авокадо*
- *200 г крабового мяса (можно заменить мясом креветок)*

Рис промыть и засыпать в кастрюлю с кипящей водой. Уменьшить огонь, накрыть кастрюлю крышкой и готовить, пока рис не впитает всю жидкость.

В кастрюле смешать лимонный сок, уксус, соль и сахар. Довести до кипения, уменьшить огонь, помешивать до тех пор, пока сахар не растворится. Приготовленной жидкостью полить рис, плотно закрыть кастрюлю и дать настояться. Затем кастрюлю с рисом остудить. Огурец и авокадо вымыть, очистить и нарезать мелкими кусочками. Крабовое мясо мелко нарезать или натереть на крупной терке. Положить лист нори на доску, сверху — слой риса. Положить на рис полиэтиленовую пленку и перевернуть. Намазать нори горчицей, положить мелко нарезанный огурец, тонкие ломтики авокадо и крабовое мясо. Сформовать ролл. Снять пленку, разрезать ролл на 8—10 частей.

50 мин

ЖАРЕНЫЕ
РОЛЛЫ

АМЕРИКАНСКИЙ РОЛЛ

- *1 лист нори размером 10 × 7 см*
- *1 лист нори размером 5 × 4 см*
- *80 г риса*
- *500 мл рисового уксуса*
- *40 мл мирина*
- *100 г сахара*
- *1/4 лимона*
- *10 г водорослей комбу*
- *25 г семги*
- *25 г угря*
- *15 г авокадо*
- *15 г сыра Фето*
- *10 г масаги*

- *7 г огурца*
- *60 мл растительного масла*

Сварить рис. Приготовить соус из рисового уксуса, сахара, сока лимона, водорослей комбу и мирина и заправить им рис. Дождаться, пока основа для роллов остынет. Выложить рис на большой лист нори и накрыть его другим листом. Уложить на лист нори семгу, угря, масагу, авокадо и огурец. Запанировать ролл в муке. Обвалять ролл в натертом сыре и обжарить.

Модный ролл

- 1 лист нори размером 10 × 7 см
- 60 г риса
- 500 мл рисового уксуса
- 40 мл мирина
- 100 г сахара
- 1/4 лимона
- 10 г водорослей комбу
- 15 г угря
- 30 г авокадо
- 20 г майонеза
- 60 г семги
- 20 г лука
- 60 мл растительного масла

При приготовлении на сковороде рыбу или мясо предварительно маринуют в разнообразных соусах либо поливают ими во время жарки. Если перед окончанием приготовления добавить сладковатый соевый соус, появится ароматная тонкая корочка.

Сварить рис. Приготовить соус из рисового уксуса, сахара, сока лимона, водорослей комбу и мирина и заправить им рис. Дождаться, пока основа для роллов остынет. Нарезать угря и авокадо, заправить их майонезом и смешать с рисом. Получившуюся смесь выложить на лист нори. Сформовать ролл и завернуть его в семгу. Обвалять ролл в муке и обжарить его на сковороде. Разрезать ролл на 6 частей.

50 мин

ХЕНД РОЛЛ

- *1 лист нори размером 10 × 7 см*
- *150 г риса*
- *500 мл рисового уксуса*
- *40 мл мирина*
- *100 г сахара*
- *1/4 лимона*
- *10 г водорослей комбу*
- *60 мл растительного масла*
- *40 г филе семги*
- *15 г спайси соуса*
- *50 г авокадо*
- *20 г салата*
- *панировочные сухари*
- *обжаренный лук-порей*
- *1 яйцо*
- *мука*
- *зелень*

Сварить рис. Приготовить соус из рисового уксуса, сахара, сока лимона, водорослей комбу и мирина и заправить им рис.

Сухая жарка (без масла) применяется в основном при обжаривании водорослей и кунжутных семян. Жарят их не более 1 минуты, на тяжелой сковороде, постоянно встряхивая ее.

Дождаться, пока основа для роллов остынет. На лист нори ровным слоем выложить рис. Перевернуть лист нори и выложить на него лист салата, брусок жареной семги, авокадо, икру и спайси соус. Сформовать квадратный ролл и запанировать его в муке, в яйце и сухарях. Обжарить ролл во фритюре. Разрезать ролл на 6 частей и выложить на каждый хрустящий жареный лук-порей. Каждый получившийся кусочек оформить лимоном и зеленью.

74

Итальянский ролл

- *1 лист нори размером 20 × 14 см*
- *50 г риса*
- *500 мл рисового уксуса*
- *40 мл мирина*
- *100 г сахара*
- *1/4 лимона*
- *10 г водорослей комбу*
- *1 порция калифорнийской смеси*
- *50 мл растительного масла*
- *30 мл темпурного кляра*
- *10 г икры летучей рыбы*
- *46 г авокадо*
- *зелень*
- *мука*

Готовые роллы можно подать на стол вместе с соусом, приготовленным из спайси соуса и подогретых сливок.

Сварить рис. Приготовить соус из рисового уксуса, сахара, сока лимона, водорослей комбу и мирина и заправить им рис. Дождаться, пока основа для роллов остынет. На лист нори ровным слоем выложить рис. Выложить поверх риса калифорнийскую смесь, авокадо, икру. Сформовать круглый ролл и запанировать его в муке. Обмакнуть получившийся ролл в кляр и обжарить во фритюре. Разрезать ролл на 6 частей. Каждый получившийся кусочек оформить лимоном и зеленью.

50 мин

ЯКИ УМИНО САТИ

- *1 лист нори размером 10 × 7 см*
- *20 г семги*
- *25 г мяса осьминога*
- *15 г очищенных мидий*
- *1 тигровая креветка*
- *20 г кальмаров*
- *3 мл соевого соуса*
- *10 г сыра Фетаки*
- *соевый творог*

- *60 мл растительного масла*
- *мука*

Нарезать семгу, мясо осьминога, мидии, креветку и кальмары. Выложить нарезанные ингредиенты на лист нори. Сверху положить сыр. Сформовать ролл и обвалять его в муке. Обжарить ролл и разрезать его на 6 частей.

ЖАРЕНЫЙ РОЛЛ
С АНАНАСОМ

- *1 лист нори размером 10 × 7 см*
- *150 г риса*
- *500 мл рисового уксуса*
- *40 мл мирина*
- *100 г сахара*
- *1/4 лимона*
- *10 г водорослей комбу*
- *20 мл сливочно-сырного соуса*
- *50 мл растительного масла*
- *30 г очищенных креветок*
- *20 мл темпурного кляра*
- *10 г икры летучей рыбы*
- *20 г болгарского перца*
- *10 г капусты «Айсберг»*

- *40 г ананасов*
- *40 г авокадо*

Сварить рис. Приготовить соус из рисового уксуса, сахара, сока лимона, водорослей комбу и мирина и заправить им рис. Дождаться, пока основа для роллов остынет. На лист нори ровным слоем выложить рис и икру летучей рыбы. Поверх икры выложить креветки, заправленные соусом, перец и капусту. Последними выложить авокадо и ананас. Обмакнуть ролл в кляр и обжарить.

40 мин

САШИМИ

Сяке

- *10 г водорослей в соли*
- *100 г филе семги*
- *10 г моркови*
- *70 г дайкона*
- *10 г огурца*
- *васаби*

Получившееся сяке оформить при помощи огурца, зелени и лимона.

Нашинковать дайкон, морковь, огурец, водоросли. Выложить нашинкованные продукты на посуду, в которой будет подаваться блюдо. Поверх нарезанных продуктов положить кусочки рыбы, смазанные васаби.

Унаги

- *10 г водорослей в соли*
- *90 г копченого угря*
- *70 г дайкона*
- *10 г моркови*
- *10 г огурца*
- *зелень*
- *васаби*
- *лимон*

При подаче сашими не забудьте положить около блюда имбирь.

Нашинковать дайкон, морковь, огурец, водоросли. Выложить нашинкованные продукты в посуду, в которой будет подаваться блюдо. Поверх нарезанных продуктов выложить кусочки угря, смазанные васаби. Блюдо необходимо подавать вместе с зеленью и лимоном.

40 мин

Тай

- *10 г водорослей в соли*
- *70 г филе окуня*
- *70 г дайкона*
- *10 г моркови*
- *10 г огурца*
- *зелень*
- *васаби*
- *лимон*

Нашинковать дайкон, морковь, огурец, водоросли. Выложить нашинкованные продукты в посуду, в которой будет подаваться блюдо. Поверх нарезанных продуктов выложить филе окуня, смазанное васаби. Блюдо необходимо подавать вместе с зеленью и лимоном.

30 мин

82

МАГУРО

- 10 г водорослей в соли
- 100 г филе тунца
- 70 г дайкона
- 10 г моркови
- 10 г огурца
- зелень
- васаби
- лимон

Изначально суши носило название «nare sushi». Приготавливалось это блюдо из замаринованной морской рыбы и риса, которые заворачивались в листья нори.

Нашинковать дайкон, морковь, огурец, водоросли. Выложить нашинкованные продукты в посуду, в которой будет подаваться блюдо.

Поверх нарезанных продуктов выложить филе тунца, смазанное васаби. Блюдо необходимо подавать вместе с зеленью и лимоном.

30 мин

ИКА

- *1 лист нори размером 20 × 14 см*
- *10 г водорослей в соли*
- *100 г кальмаров*
- *70 г дайкона*
- *10 г моркови*
- *10 г огурца*
- *зелень*
- *авакадо*
- *лимон*

Водоросли комбу можно употреблять не только в маринованном виде, но и в сушеном, например в салатах, супах и некоторых вторых блюдах.

Положить пластинку кальмара на лист нори и отрезать лишние концы. Выложить авокадо на лист нори и сформовать ролл. Нарезать водоросли, дайкон, морковь и огурец. Украсить блюдо зеленью и лимоном.

САШИМИ
С КОПЧЕНЫМ УГРЕМ

- *200 г копченого угря*
- *100 г свежего огурца*
- *200 г красных и оранжевых соленых водорослей*

Копченый угорь нарезать тонкими ломтиками и выложить друг на друга на тарелку. Свежий огурец вымыть и натереть на крупной терке так, чтобы получилась соломка. Натертый огурец выложить небольшой горкой рядом с копченым угрем. Затем тоже отдельно выложить оранжевые и красные соленые водоросли.

30 мин

САШИМИ С КАЛЬМАРАМИ

- *100 г мяса кальмара*
- *100 г свежего огурца*
- *200 г красных и оранжевых соленых водорослей*

На один край тарелки выложить оранжевые соленые водоросли небольшой горкой. Мясо кальмара нарезать тонкими ломтиками и выложить в виде веера поверх оранжевых водорослей.

У основания получившегося веера из кальмаров выложить красные соленые водоросли. Поверх них опять в виде веера выложить тонко нарезанные ломтики кальмара. Огурец вымыть и натереть на крупной терке так, чтобы получилась соломка. Натертый огурец выложить у основания второго веера из кальмаров.

Сашими с семгой

- *150 г семги*
- *100 г огурца*

Семгу нарезать тонкими ломтиками и выложить на тарелку по кругу в виде лепестков цветка.

Свежий огурец вымыть и натереть на крупной терке так, чтобы получилась соломка. Натертый огурец выложить небольшой горкой в центр получившегося из кусочков семги цветка.

30 мин

Сашими со сладкими креветками

- *8 сладких креветок*
- *1 свежий огурец*
- *200 г оранжевых и красных соленых водорослей*

Оранжевые водоросли выложить в центр тарелки горкой. Огурец натереть на крупной терке так, чтобы получилась соломка. Натертый огурец в небольшом количестве выложить поверх оранжевых водорослей. Креветки разморозить и выложить их по кругу поверх оранжевых водорослей хвостами вниз. Красными водорослями украсить верхушку получившейся горки.

Сашими с мясом краба

- *100 г мяса краба*
- *100 г свежего огурца*
- *50 г водорослей чука*
- *100 г оранжевых и красных соленых водорослей*
- *50 г имбиря*

Мясо краба нарезать тонкими полосками и горкой выложить в центр тарелки. Огурец вымыть и натереть на крупной терке так, чтобы получилась соломка. С одной стороны тарелки по краю небольшими горками выложить оранжевые соленые водоросли и натертый огурец, с другой стороны тарелки также горками — красные соленые водоросли и водоросли чука. Украсить мясо краба имбирем.

40 мин

САШИМИ СО СКУМБРИЕЙ

- *50 г филе скумбрии*
- *30 г водорослей чука*
- *50 г оранжевых соленых водорослей*

Филе скумбрии нарезать небольшими тонкими ломтиками и выложить по углам квадратной или четырехугольной тарелки. В середину тарелки небольшой горкой выложить водоросли чука. Соленые оранжевые водоросли разложить по кругу на расстоянии 2 см от водорослей чука.

90

САШИМИ С КРЕВЕТКАМИ

- *5 тигровых креветок*
- *2 сладкие креветки*
- *1 свежий огурец*
- *1 маслина*
- *1 луковица*
- *1 морковь*

Креветки разморозить неактивной разморозкой. Насадить креветки на шпажки и опустить в кипящую воду с целой луковицей и морковью на 3 мин. Снять со шпажек. Тигровые креветки выложить на тарелку полукругом, а в его середину положить две сладкие креветки, соединив их вместе. Огурец вымыть и натереть на крупной терке так, чтобы получилась соломка, и выложить небольшой горкой у основания веера из креветок. На горку из огурца выложить одну маслину.

40 мин

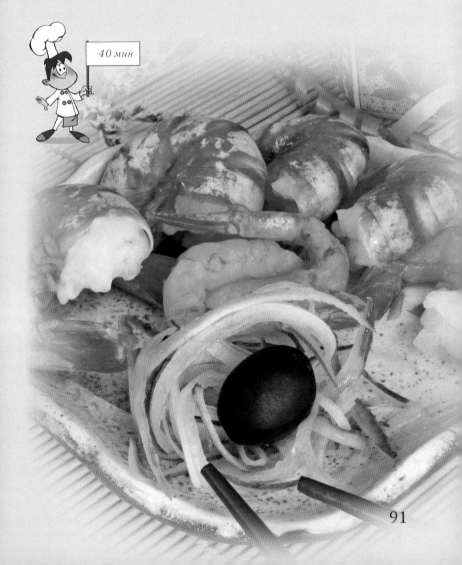

САШИМИ
С ВОДОРОСЛЯМИ ЧУКА

- *100 г водорослей чука*
- *1 свежий огурец*
- *50 г соленых красных водорослей*
- *1 маслина*

Водоросли чука выложить горкой в центр тарелки. Красные соленые водоросли выложить вокруг горки водорослей чука. Огурец вымыть, натереть на крупной терке так, чтобы получилась соломка, и выложить небольшой горкой с одной стороны от водорослей. Горку из водорослей можно сверху украсить маслиной.

САШИМИ
С ИКРОЙ ЛЕТУЧЕЙ РЫБЫ

- *50 г красной икры летучей рыбы*
- *50 г зеленой икры летучей рыбы*
- *50 г красных соленых водорослей*
- *50 г свежего огурца*

Зеленую и красную икру летучей рыбы выложить на середину тарелки так, чтобы получился символ «инь» и «ян». Огурец вымыть, натереть на крупной терке длинной соломкой. С одной стороны от икры выложить соленые красные водоросли, а с другой — натертый огурец.

30 мин

САШИМИ
С ИКРОЙ ЛОСОСЯ

- *50 г икры лосося*
- *4 сладкие креветки*
- *50 г водорослей чука*
- *50 г красных соленых водорослей*
- *1 луковица*
- *1 морковь*

Креветки разморозить неактивной разморозкой. Насадить креветки на шпажки и опустить в кипящую воду

с целой луковицей и морковью на 3 мин. Снять со шпажек. В центр тарелки выложить горкой икру лосося. По 2 креветки, соединенные в форме латинской буквы S, выложить с двух противоположных сторон от икры. Красные соленые водоросли и водоросли чука выложить небольшими горками с двух других противоположных сторон от икры.

Сашими с лакедрой желтохвостой

- *100 г лакедры желтохвостой*
- *100 г желтых и красных*
- *соленых водорослей*
- *50 г свежего огурца*

Мясо лакедры нарезать тонкими пластами и выложить веером на одну сторону тарелки. У основания веера из рыбы выложить горкой соленые желтые водоросли. Красные соленые водоросли выложить полукругом по свободному краю тарелки. Огурец натереть на крупной терке длинной соломкой, которой можно украсить горку из желтых водорослей.

30 мин

САШИМИ С МОРСКИМ ОКУНЕМ

- *100 г филе морского окуня*
- *100 г свежих огурцов*
- *200 г оранжевых и красных соленых водорослей*

Филе окуня нарезать тонкими пластами и выложить на тарелку в следующей последовательности:

3 кусочка в виде веера с краю тарелки, поверх них еще 3 кусочка рыбы, а затем — 1 кусочек. Огурец вымыть, натереть на крупной терке так, чтобы получилась длинная соломка. Натертый огурец, соленые водоросли выложить небольшими отдельными горками вокруг рыбы так, чтобы получился «светофор».

САШИМИ
С МЯСОМ БЕЛОЙ РЫБЫ

- *100 г филе белой рыбы*
- *100 г свежих огурцов*
- *100 г оранжевых и красных соленых водорослей*

Филе белой рыбы нарезать тонкими пластами и выложить веером на одну сторону тарелки. Огурец вымыть, натереть на крупной терке так, чтобы получилась длинная соломка. Натертый огурец и соленые водоросли перемешать и выложить небольшой горкой на другой стороне тарелки.

30 мин

МИСО

Суп морской сливочный

- 50 г куриного филе
- 10 г репчатого лука
- 20 г очищенных креветок
- 20 г мидий
- 30 г кальмаров
- 80 г сливок
- 5 г сухого рыбного бульона
- растительное масло
- соль

Для обозначения риса японцы придумали несколько иероглифов, употребление каждого из которых будет зависеть от того, про какой именно рис вы говорите: сырой, вареный или приготовленный каким–либо другим способом.

Обжарить курицу с луком. Налить в курицу 200 мл бульона. Довести курицу до готовности. Налить в бульон с курицей сливки. Добавить в кастрюлю мидии, креветки. Последними добавить кальмары.

Обязательно посолить рыбный бульон. Блюдо довести до готовности.

КУК-СУ

- 80 г яичной лапши
- корейские салаты
- 10 г телятины
- 15 г курицы
- 10 г жареных грибов
- бульон
- яйцо
- помидоры
- кинза
- кунжут

Для зеленых овощей и вареных рыбопродуктов лучше всего подходит яичный соус под названием «Камидзуаэ».

Выложить яичную лапшу в середину тарелки. Вокруг лапши кучками положить корейские салаты, телятину, жареные грибы и курицу. Приготовить из яйца яичницу, мелко нарезать ее и положить в тарелку. Последней добавить мякоть помидоров и посыпать все ингредиенты рубленой кинзой и жареным кунжутом. Залить все ингредиенты горячим бульоном.

50 мин

Суп рыбака

- 35 г черных мидий в раковинах
- 30 г винного красного уксуса
- 300 мл рыбного бульона
- растительное масло
- 30 г шампиньонов
- сладкая паприка
- 40 г филе судака
- 10 г чеснока
- 20 г лука
- шафран
- 20 г семги
- 2 креветки
- 1 мидия-киви
- мякоть помидора
- кинза
- соль
- перец

Обжарить на растительном масле шампиньоны, чеснок и лук. Добавить в кастрюлю винный уксус и выпаривать содержимое некоторое время. Добавить сладкую паприку и шафран, немного обжарить. Залить рыбным бульоном. Нарезать филе судака и семги и добавить в кастрюлю. Также добавить одну креветку с головой и одну очищенную. Последними добавить мидию-киви и мидии черные в раковинах. После закипания посолить и поперчить мисо. Довести суп до полуготовности и добавить рыбу, мякоть помидора и кинзу. Довести суп до готовности.

Пук-тяй

- *25 г маринованной свиной шеи*
- *картофель*
- *баклажаны*
- *кабачок*
- *болгарский перец*
- *пекинская капуста*
- *репчатый лук*
- *растительное масло*
- *соевая мисо-паста*
- *350 г бульона*
- *маш*
- *тофу*
- *яйцо*
- *острые специи*
- *нори*
- *кинза*

Нарезать маринованную свиную шею, картофель, баклажаны, кабачок, болгарский перец, пекинскую капусту, репчатый лук. Все нарезанные продукты обжарить на растительном масле. Добавить в кастрюлю мисо-пасту и обжарить продукты еще раз. Затем добавить бульон и довести мисо до готовности картофеля. После этого добавить в мисо маш, тофу и яичный желток. Варить мисо до готовности желтка, добавить специи. При подаче супа посыпать его нори и рубленой кинзой.

1 ч

Сяке суп

- 60 г отварного риса
- 70 г семги
- нашинкованные водоросли нори
- 15 мл рыбного бульона
- 1 ст. ложки соевого соуса
- 300 г кипятка
- кунжут
- перец
- соль

Мисо способствует снижению уровня холестерина в крови, а также устраняет вред, нанесенный курением! Раньше на приготовление пасты уходило до 2 лет, на сегодняшний день время приготовления сократилось до 6 недель.

Положить рис на тарелку. Нарезать семгу небольшими квадратиками. Добавить семгу в рис. Залить рис и семгу рыбным бульоном. Посолить и поперчить суп. В почти приготовленный суп добавить нори. Перед подачей на стол добавить в мисо кунжут.

Суп мисо

- *1/2 пачки шелкового тофу размером 10×5×3 см*
- *4 стакана бульона быстрого приготовления из тунца и комбу (или даси)*
- *3 листа высушенной водоросли вакаме*
- *4 ст. ложки белой пасты мисо*
- *2 стебля измельченного лука-порея для украшения*

Бульон поставить на слабый огонь и довести до кипения. В кипящий бульон положить водоросль вакаме и оставить на слабом огне не более чем на 2—3 минуты. После чего часть приготовленного бульона разлить в порционные тарелки и добавить белую пасту мисо. Чтобы паста мисо растворилась, ее нужно тщательно размешать в бульоне. Полученный бульон аккуратно перелить в кастрюлю. Тофу нарезать кусочками размером не более 1 см и добавить в бульон. Поставить суп на слабый огонь на несколько минут, после чего готовое блюдо можно подавать на стол, украсив измельченным луком-пореем.

50 мин

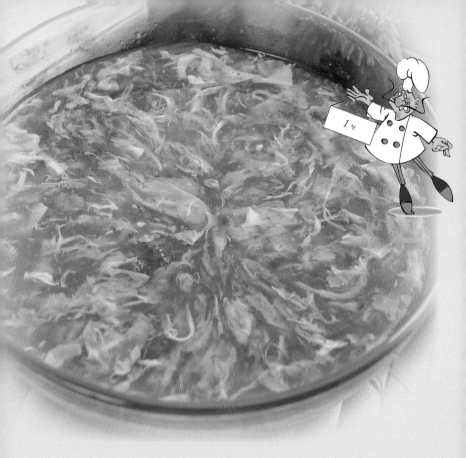

Японский яичный суп

- *1 ст. ложка национального японского напитка саке*
- *2 яйца*
- *4 стакана рыбного бульона*
- *2 ч. ложки кукурузного крахмала*
- *2 ст. ложки соевого соуса*
- *7—8 листьев шпината*
- *соль по вкусу*

Взять слегка охлажденное саке, добавить по вкусу соль и размешать. Разбить яйца в глубокую миску и взбить до однородной консистенции, затем тщательно перемешать яйца с саке. Приготовленный рыбный бульон довести до кипения на слабом огне. Кукурузный крахмал развести в 3 ст. ложках теплой кипяченой воды, затем добавить его в кипящий рыбный бульон вместе с соевым соусом. Оставить бульон на небольшом огне, постоянно помешивая, пока он не станет достаточно густым. Когда бульон загустеет, добавить в него заранее взбитые с саке яйца, причем яйца нужно выливать небольшими порциями и при этом постоянно помешивать. Листья шпината мелко нарезать и положить в суп, затем довести до кипения и снять с огня.

СУП ДЗОСУИ С МОРЕПРОДУКТАМИ

- *6 стаканов бульона даси*
- *1,5 стакана риса*
- *16 небольших моллюсков*
- *1 свежезамороженный кальмар*
- *8 небольших креветок*
- *1 небольшой помидор*
- *1/3 корня сельдерея*
- *4 ст. ложки саке*
- *1 пучок зеленого лука*
- *1 ч. ложка соли*

Моллюсков оставить в подсоленной воде на 4 часа в закрытой посуде. Затем промыть и выложить в кастрюлю. Смазать 2 ст. ложками саке, добавить 2 стакана бульона и поставить на слабый огонь. Готовить до тех пор, пока раковины не станут раскрываться. Когда моллюски будут готовы, извлечь их из раковин и промыть. Бульон из-под моллюсков процедить и слить в кастрюлю. Рис вымыть и отварить. Приготовленный рис промыть и дать воде стечь. Кальмара выпотрошить, снять кожицу и нарезать небольшими кольцами. Креветки очистить от панциря, но при этом оставить хвостовую часть. Помидор опустить в кипяток, а затем в холодную воду, очистить от кожицы. Удалить семена, а мякоть мелко нарезать, также нарезать корень сельдерея. В бульон даси добавить жидкость, которая осталась от моллюсков, затем добавить саке и посолить, полученную смесь вскипятить и положить отваренный рис, снова вскипятить, добавить креветки, кальмары, моллюски, сельдерей и помидоры. Варить 2 минуты, разлить по тарелкам и посыпать зеленым луком.

30 мин

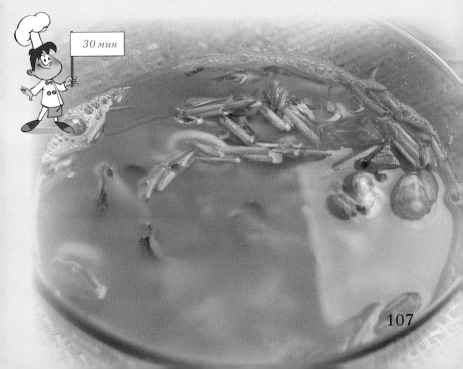

СУП-МИСО
С ЛАМИНАРИЕЙ

55 мин

- *4 стакана рыбного бульона*
- *200 г консервированных грибов шиитаке*
- *2 ст. ложки консервированной или маринованной ламинарии*
- *3 ст. ложки белой пасты мисо*
- *зелень петрушки*
- *соль по вкусу*

Слегка промыть ламинарии и нарезать кусочками длиной не более 3 см. Рыбный бульон довести до кипения на слабом огне, затем добавить в него белую пасту мисо, тщательно размешать и оставить на огне еще на несколько минут. Грибы шиитаке также промыть, при необходимости нарезать небольшими кусочками и положить в горячий бульон, посолить. Перед подачей на стол в суп добавить нарезанную ламинарию. Также сверху можно положить несколько веточек свежей зелени петрушки.

Суп с креветками и лапшой

- *4 стакана бульона даси*
- *8 креветок*
- *70 г японской лапши*
- *рамэн (также можно использо-вать лапшу хиямуги)*
- *4 свежих гриба шиитаке*
- *1 ст. ложка мелко нарезанных листьев дайкона либо зелень мицубы*
- *1 ст. ложка саке*
- *1/2 ч. ложки соевого соуса*
- *1/2 ч. ложки йодированной соли*

В бульон даси добавить саке, соевый соус и соль, перемешать. Поставить бульон на слабый огонь и довести до кипения, слегка остудить, поставить в холодильник на 20—25 минут. Грибы шиитаке промыть, вырезать ножки, поджарить без добавления масла, остудить. Креветки отварить в кипящей подсоленной воде, снять панцирь, оставив хвостовую часть, остудить. Лапшу нарезать длиной 10 см, затем отварить в кипящей воде. Слить воду и также остудить. Выложить на тарелки сначала креветки и грибы, затем — лапшу. Залить бульоном и украсить рубленой зеленью.

1 ч 10 мин

Суп с клецками и креветками

* *650 мл воды*
* *400 г креветок*
* *180 г моркови*
* *1 корень петрушки*
* *2 луковицы*
* *45 мл растительного масла*
* *100 г муки*
* *1 яйцо*
* *10 г зелени*
* *соль*

Креветки отварить в кипящей соленой воде в течение 5 минут. Затем их очистить, мелко нарезать. Морковь натереть на крупной терке. Корень петрушки очистить, порубить и обжарить на растительном масле вместе с морковью и нарезанным полукольцами луком. В кастрюле вскипятить воду и положить в нее поджаренные петрушку, морковь и лук, варить 12 минут. Суп посолить и поперчить. В это же время смешать в другой кастрюле стакан воды, растительное масло и щепотку соли. Воду вскипятить и насыпать в нее просеянную муку. Сразу хорошо размешать, продолжая помешивать, варить 2—3 минуты. Затем тесто остудить и вбить в него 1 яйцо. Кусочки теста опускать с помощью ложки в суп. Когда клецки приготовятся, они всплывут. Креветки и зелень можно добавлять прямо перед подачей на стол.

СУП-МИСО С ФОРЕЛЬЮ НОРВЕЖСКИХ ФЬОРДОВ

- *300 г форели норвежских фьордов*
- *2 ст. ложки мисо-пасты*
- *800 мл воды*
- *1 свекла*
- *12 китайских древесных грибов*
- *1 ч. ложка свежего измельченного имбиря*
- *1/2 ч. ложки сухого рыбного бульона*
- *15 листьев кинзы*
- *20 г зелени кинзы*
- *1/4 ч. ложки черного перца*

Свеклу вымыть, отварить. Вареную свеклу очистить.

Обжарить на растительном масле до образования золотистой корочки форель, натертую имбирем. Грибы замочить в кипятке. В воду положить мисо-пасту, вскипятить, добавить грибы, сухой бульон и свеклу. Варить в течение 3—5 минут на слабом огне. В тарелку положить ломтики форели и налить суп. Украсить тарелку листьями эндивия, кинзой и добавить перец.

40 мин

Суп из спаржи

- *50 г репчатого лука*
- *20 г зеленой спаржи*
- *750 мл овощного бульона*
- *125 мл 33%-ных сливок*
- *30 мл сухого белого вина*
- *100 г тигровых креветок*
- *0,1 г мускатного ореха*
- *0,1 г молотого перца*
- *2 г соли*

Мелко нарезать лук. Стебли спаржи разрезать на четыре части.

Обжарить лук на растительном масле до золотистого цвета, добавить спаржу и жарить в течение 10 минут. В получившуюся смесь добавить овощной бульон, сливки, сухое белое вино. Суп заправить солью, перцем и мускатным орехом. Подавать на стол с креветками и с зеленью. Суп из спаржи с тигровыми креветками сочетается с подсушенным белым хлебом с чесночным маслом.

Суп из норвежских креветок и картофеля

- *150 г очищенных норвежских креветок*
- *200 г рассыпчатого картофеля*
- *300 г лука-порея*
- *1200 мл овощного бульона*
- *5 ст. ложек сливок*
- *2 ст. ложки измельченной петрушки*
- *2 ч. ложки соли*

Овощной бульон налить в кастрюлю. Положить в бульон картофель, нарезанный ломтиками, и мелко нарезанный лук-порей. Варить эту смесь до того момента, пока картофель полностью не разварится. Картофель и лук превратить в пюре (можно добавить бульон или воду). Добавить сливки, соль и перец. Перед подачей на стол взбить его с помощью миксера, украсить креветками и петрушкой (петрушку можно заменить зеленым луком).

50 мин

113

ОВОЩНЫЕ
БЛЮДА

КУДАМОНО МОРИВАСЕ

- *250 г маринованной моркови*
- *120 г огурцов*
- *1—2 сладких перца*
- *200 г японской лапши*
- *180 г консервированной кукурузы*
- *2 ст. ложки растительного (рафинированного) масла*
- *1/2 ст. ложки 3%-ного уксуса*
- *1/4 ч. ложки молотого черного перца*
- *зелень укропа или петрушки*
- *соль*

В японской кулинарии одно из главных мест занимают приправы. Их готовят из редьки (дайкона), редиса и зелени.

Приготовить салат. Сладкий перец вымыть, очистить от семян и нарезать вместе с огурцами тонкими ломтиками. Слить сок с консервированной кукурузы. Смешать кукурузу с огурцами, перцем и маринованной морковью. перемешать и заправить острым соусом. Для приготовления соуса смешать уксус, соль, мелко нарезанную зелень, молотый черный перец и растительное масло. Поместить соус на 15—20 минут в прохладное место. В подсоленной воде варить японскую лапшу в течение 10—15 минут на среднем огне, откинуть на дуршлаг. Осторожно выложить готовую японскую лапшу на блюдо и добавить приготовленный салат. Украсить зеленью.

Айга-масу

- *1 яблоко*
- *250 г пекинской капусты*
- *250 г маринованных креветок*
- *1—2 сладких болгарских перца*
- *60 г консервированного ананаса*
- *японский майонез*

Яблоки очистить от кожуры, сердцевины и семян, вымыть в проточной воде и крупно нарезать. Листья пекинской капусты вымыть, крупно нарезать и положить на широкое блюдо.

Ломтики яблок уложить на капусту. Консервированные ананасы нарезать небольшими кусочками и выложить на капусту с яблоками. Следующим слоем разложить целые маринованные креветки. Сладкий болгарский перец очистить от семян, вымыть в проточной теплой воде и нарезать тонкой соломкой. Затем нарезанный перец положить на маринованные креветки. Готовый салат заправить небольшим количеством японского майонеза.

1 ч

117

САЛАТ «ГЕЙША»

- *3 листа салата лолло-россо*
- *200 г креветок*
- *1 апельсин*
- *50 г консервированной кукурузы*
- *50 г ветчины*
- *1 авокадо*
- *1 пучок зелени петрушки*
- *соль*

Для соуса:
- *1 яйцо*
- *1 ч. ложка васаби*
- *2—3 ст. ложки лимонного сока*
- *100 мл растительного масла*
- *1 ч. ложка кунжутного масла*

Креветки отварить в подсоленной воде, остудить и очистить.

Оставить несколько креветок неочищенными для украшения блюда, остальные мелко нарезать. Ветчину нарезать, авокадо вымыть, удалить косточку, нарезать небольшими кубиками. Для приготовления соуса сварить яйцо всмятку остудить, очистить и взбить в блендере с лимонным соком и васаби. Смешать кунжутное и растительное масла и, не переставая взбивать, аккуратно влить в яичную массу. Выложить на листья салата нарезанные креветки, ветчину, авокадо, заправить соусом и перемешать. Блюдо украсить кукурузой, дольками апельсина и зеленью петрушки.

САЛАТ С ПЕРЕПЕЛИНЫМИ ЯЙЦАМИ

- 500 г пекинской капусты
- 3 перепелиных яйца
- 2 ст. ложки вишневого уксуса
- 2 ст. ложки японского майонеза
- 4 ст. ложки растительного масла
- 100 г сливочного масла
- 1 ч. ложка кунжутного масла
- 100 г сливочного сыра
- 100 г батона
- 50 г зеленого лука
- свежемолотый белый перец
- соль

Пекинскую капусту разделить на отдельные листья, вымыть, крупно нарезать. Сливочный сыр нарезать мелкими кубиками. Зеленый лук нарезать полосками и опустить в воду, чтобы он свернулся. Вишневый уксус смешать с растительным и кунжутным маслами, перемешать. Добавить японский майонез, перемешать. В полученный соус добавить соль и перец. Перепелиные яйца пожарить. У батона срезать корку, мякиш нарезать кубиками и слегка поджарить на сливочном масле. Разложить на тарелке капустные листья, поверх них выложить сливочный сыр и гренки. Сверху — жареные яйца. Заправить салат соусом, украсить зеленым луком.

50 мин

САЛАТ «ФЬЮЖН»

- *100 г ветчины из свинины*
- *100 г моркови*
- *70 г дайкона*
- *100 г мяса кальмара*
- *100 г пекинской капусты*
- *100 г огурцов*
- *100 г помидоров*
- *3 листа салата лолло-россо*
- *зелень петрушки*
- *соль*
- *Для соуса тамаго-но-мото:*
- *200 мл растительного масла*
- *3 яичных желтка*
- *2,5 ст. ложки мисо-пасты*
- *0,5 ч. ложки лимонного сока*
- *0,5 ч. ложки цедры лимона*
- *0,5 ч. ложки белого перца*
- *соль*

Кальмары отварить в воде и нарезать тонкой соломкой. Также нарезать морковь, пекинскую капусту и дайкон. Тонко нарезать ветчину. Листовой салат хорошо вымыть и порвать руками на большие части. Огурцы и помидоры вымыть, нарезать. Для приготовления соуса тамаго-но-мото смешать яичные желтки и лимонный сок, взбить в миксере. Продолжая взбивать, влить тонкой струйкой растительное масло. После этого добавить мисо-пасту, цедру лимона, молотый перец, соль, перемешать. На тарелку положить листья салата, затем кальмары, овощи, ветчину и заправить соусом тамаго-но-мото. Украсить веточками петрушки.

ФРУКТОВО-ОВОЩНОЙ МИКС

- 200 г пекинской капусты
- 200 г свеклы
- 100 г яблок
- 100 г огурцов
- 100 г апельсинов
- 100 г помидоров
- 50 г болгарского перца
- 70 г моркови
- 1 ч. ложка сахара
- кунжут

  Для соуса амадзу:
- 4 ст. ложки рисового уксуса
- 2 ст. ложки сахара
- 1 ст. ложки светлого соевого
  соуса

Для приготовления соуса в сотейник влить рисовый уксус, добавить сахар и соевый соус. Нагревать на слабом огне, постоянно помешивая, пока сахар полностью не растворится. Натереть на терке морковь и свеклу, нашинковать пекинскую капусту. Болгарский перец нарезать как можно тоньше, яблоко очистить и нарезать мелкими кубиками вместе с огурцом и помидорами. Перемешать капусту, яблоко, огурцы, помидоры и выложить на один край тарелки. Натертые свеклу, морковь и перец положить на ту же тарелку, не перемешивая. Полить все соком апельсина и посыпать кунжутом. Перед подачей на стол салат полить соусом амадзу и украсить дольками апельсина, яблока, помидора и огурца.

1 ч 10 мин

ФРУКТОВЫЙ САЛАТ

- *80 г темного винограда*
- *50 г киви*
- *1 апельсин*
- *1 яблоко*
- *1 банан*
- *60 г нежирного йогурта*

Темный виноград отделить от веточек, вымыть. Очистить киви, вымыть теплой водой и нарезать тонкими ломтиками. Вымыть яблоко, удалить сердцевину и нарезать ломтиками. Банан очистить, нарезать. Апельсин вымыть, нарезать. На ломтики апельсина положить сначала киви, затем кусочки банана и яблока.

Хорошо известен усилитель вкуса — адзи-но-мото (глютамат натрия), который японцы изобрели в конце XX в. Он используется во всем мире, для усиления вкуса блюд.

Сверху на фрукты выложить темный виноград и заправить все нежирным йогуртом. Подавать на стол, не перемешивая, в качестве десерта.

САЛАТ
ИЗ МОРСКИХ ВОДОРОСЛЕЙ

- *30 г сушеных водорослей вакаме*
- *1 огурец*
- *1 помидор*
- *3 ч. ложки соевого соуса*
- *8 ч. ложек рисового уксуса*
- *7,5 ч. ложек бульона даси*
- *2 листа салата*
- *кунжутное семя*
- *1—2 ч. ложки соли*

*Еда японцев содержит
малое количество жиров,
все продукты натуральные
и полезные, а приготовленные
блюда имеют приятный
и необычный вкус.*

Сушеные водоросли замочить в холодной воде на 7—10 минут и нарезать. Огурец и помидор вымыть, нарезать. Смешать соевый соус, рисовый уксус и бульон даси, посолить и охладить. Водоросли заправить получившимся соусом, посыпать кунжутом и поставить на холод на 1 час. На тарелку выложить листья салата, сверху — водоросли. Украсить ломтиками огурца и помидора.

50 мин

ЗЕЛЕНЫЕ ВОДОРОСЛИ С КУНЖУТОМ

- *450 г маринованных водорослей вакаме*
- *50 г сушеных грибов шиитаке*
- *3–4 ст. ложки обжаренных кунжутных семян*
- *100 мл соевого соуса*
- *150 мл воды*
- *2 ч. ложки желатина*
- *2 ч. ложки кунжутного масла*
- *1 лимон*
- *2 ч. ложки саке*
- *жгучий стручковый перец*

Смешать соевый соус с 50 мл воды и довести до кипения. Желатин замочить на 1 час в теплой воде.

В оставшихся 50 мл холодной воды развести желатин и, постоянно помешивая, нагреть, но не кипятить. Загустевший соус снять с огня и немного остудить, добавить разведенный в воде соевый соус. Добавить в соус кунжут, кунжутное масло, лимонный сок, саке и жгучий стручковый перец. Все хорошо перемешать. Заправить полученным кунжутным соусом водоросли и оставить на 2 часа. Добавить отваренные грибы шиитаке. Подавать на стол, украсив долькой лимона. Можно употреблять в качестве самостоятельного блюда или как гарнир к мясу и рыбе.

АССОРТИ ИЗ ЯПОНСКИХ ГРИБОВ

- *50 г сушеных грибов шиитаке*
- *250 г свежих шампиньонов*
- *100 г стручковой фасоли*
- *100 мл бульона даси*
- *3 листа пекинской капусты*
- *1 ч. ложка саке*
- *2 ч. ложки соевого соуса*
- *1 ч. ложка вина мирин*
- *1 ч. ложка кунжутного масла*
- *1/2 лимона*
- *зелень петрушки*
- *1 ч. ложка сахара*

Шиитаке залить теплой водой, добавить сахар и оставить на 25—30 минут. Затем грибы вынуть, отжать и обсушить. Оставшуюся жидкость процедить и оставить 100 мл для тушения. На сковороду налить бульон даси, жидкость из-под грибов, кунжутное масло, саке и довести до кипения. Нарезать шампиньоны и шиитаке и выложить их вместе с фасолью на сковороду. Закрыть крышкой, убавить огонь и готовить в течение 3 минут. Затем добавить соевый соус и тушить еще 10—12 минут, пока почти вся жидкость не выкипит. В конце приготовления добавить мирин и, встряхивая сковороду, готовить на сильном огне еще 1 минуту. Листья пекинской капусты бланшировать в кипятке. Подавать грибы, выложив их на листья капусты. Украсить лимоном и зеленью.

1 ч 30 мин

125

40 мин

ТАЛЬГИЧА

- *120 г маринованных японских грибов*
- *150 г маринованных огурцов*
- *200 г моркови*
- *японский майонез*
- *зелень петрушки, укропа*

Очистить и вымыть теплой проточной водой морковь и нарезать тонкой соломкой. Маринованные огурцы и грибы нарезать небольшими тонкими ломтиками. Соединить нарезанную морковь, огурцы и грибы, перемешать. Выложить овощи и грибы в салатницу, заправить небольшим количеством японского майонеза. Оставить салат на несколько минут, чтобы он пропитался майонезом, а потом украсить мелко нарезанной зеленью петрушки или целыми веточками укропа. Подавать на стол можно как самостоятельное блюдо, так и в качестве гарнира к мясу или рыбе.

Японская салатная закуска

- 500 г риса (арборио)
- 4 яйца
- 70 г пармезана
- 50 г сливочного масла
- 1 л арахисового масла
- 100 г говяжьего фарша
- 1/2 луковицы
- 1/2 пакетика шафрана
- 80 г томатной пасты
- 3 ст. ложки оливкового масла
- 0,5 ч. ложки молотого перца
- 250 г муки
- 250 г панировочных сухарей
- соль, сахар, петрушка по вкусу

Рис отварить в подсоленной воде. Снять с огня и добавить 20 г тертого сыра, сливочное масло и 2 взбитых яйца, размешать и остудить.

Репчатый лук мелко нарезать, смешать с говяжьим фаршем и положить на сковороду с оливковым маслом, добавить соль, перец, воду, томатную пасту и щепотку сахара. Перемешать и варить 30 минут на среднем огне. За 2—3 минуты до готовности добавить петрушку.

В готовое рагу добавить шафран и 50 г тертого сыра, перемешать. Мокрыми руками сформовать из риса шарик, размять его в лепешку. На середину лепешки положить рагу и свернуть. Готовые рисовые шарики с начинкой обвалять сначала в муке, затем во взбитых с солью яйцах и в панировочных сухарях. Обжарить на арахисовом масле. Подавать в теплом виде.

1 ч 15 мин

ТАКУТОКА

- 1 длинный огурец
- 1 сладкий перец
- 1 помидор
- 8 штук редиса
- 100 г творога
- 1 яйцо
- 1 луковица
- 2 маслины
- зеленый лук
- зелень укропа, петрушки
- соль по вкусу

Огурец вымыть и отрезать от него 8 тонких кружочков. Остаток разрезать на 5 частей и удалить семена. Вымыть и нарезать кубиками 4 редиса, перемешать со 100 г творога и рубленой зеленью. Сварить 1 яйцо. Нарезать тонкими кружочками еще 4 редиса. Наполнить одну из частей огурца творогом и украсить редисом, яйцом и зеленью. Сладкий перец, помидор и зеленый лук нарезать. Репчатый лук нарезать кольцами. Измельчить маслины.

В оставшиеся части огурца выложить подготовленные продукты. Украсить петрушкой и луком.

ВИНЕГРЕТ ПО-ТОКИЙСКИ

- 250 г зеленого горошка
- 150 г молодой моркови
- 100 г спаржи
- 200 г земляной груши
- 200 г зеленых бобов
- 200 г сморчков
- 2 вилка цветной капусты
- 400 г сливочного масла
- 3—4 яйца
- 1 ч. ложка сахара
- 25 раков
- 1 ст. ложка муки
- зелень петрушки, соль по вкусу

Раков сварить в подсоленной воде, остудить, очистить. Морковь и земляную грушу сварить, нарезать. Зеленые бобы и горошек сварить. Спаржу очистить, сварить, нарезать. Цветную капусту отварить в подсоленной воде. Один вилок капусты отложить, второй разобрать на мелкие соцветия. Сморчки вымыть, нарезать и сварить. Поджарить на сковороде 1 ст. ложки пшеничной муки, развести муку бульоном, добавить нарезанную зелень петрушки, размешать. Нарезанные овощи и грибы положить в сотейник, залить приготовленным соусом и кипятить 2—3 минуты. Растопить 200 г сливочного масла, положить в него истолченные панцири от шеек и ножек раков и варить на слабом огне 10—15 минут. Добавить 200 г сливочного масла, соль, сахар и вареные измельченные яйца. Перемешать. Полученным фаршем заполнить 25 раковых спинок, сбрызнуть их маслом и подрумянить в духовке. Из оставшегося фарша сформовать фрикадельки. На блюдо положить вареные овощи и грибы, в центре поместить целый вилок цветной капусты, вокруг него — раковые спинки, фрикадельки и раковые шейки.

1 ч 15 мин

Салат «Чикара»

- *1 апельсин*
- *3 моркови*
- *4 ст. ложки изюма*
- *3 ст. ложки майонеза*
- *лимонный сок, сахар, соль*
- *по вкусу*

Чтобы морковь не темнела после чистки, кожуру нужно срезать, а не скоблить.

Изюм вымыть холодной водой и залить кипятком на 15 минут. Апельсин вымыть, очистить, разделить на дольки, снять пленку, удалить косточки и нарезать небольшими кусочками. Морковь очистить, натереть на крупной терке и смешать с апельсином, изюмом и майонезом. Приправить лимонным соком, добавить сахар, соль. Салат перемешать и сразу же подавать на стол.

КОЛЬРАБИ «ЯСАШИ»

- *4 шт. капусты кольраби*
- *100 г моркови*
- *1/8 ч. ложки сахара*
- *25 г сыра твердых сортов*
- *10 г кервеля*
- *5 г шнитт-лука*
- *100 г консервированного зеленого горошка*
- *2 яйца*
- *125 мл сливок*
- *соль, перец по вкусу*

Кольраби вымыть, очистить, срезать стебель, вырезать жесткую сердцевину и сварить в подсоленной воде. Затем вынуть мягкую середину из головок капусты.

Морковь нарезать кусочками, положить на сковороду, залить небольшим количеством воды с солью и сахаром, и тушить 5—7 минут. Нарезать сыр кусочками, лук — полукольцами, кервель измельчить. Соединить овощи, зеленый горошек, сыр и зелень. Добавить яйца, соль, перец и перемешать. Потолочь мякоть кольраби до образования пюре. Головки кольраби наполнить овощной начинкой и уложить в форму для запекания. Накрыть форму крышкой и поставить в разогретую до 220 °С духовку на 25—30 минут, после чего запекать еще 10 минут с открытой крышкой.

1 ч 10 мин

ВОСТОЧНЫЙ АВОКАДО

- *3 авокадо*
- *200 г нежирной сметаны*
- *1,5 ст. ложки красного винного уксуса*
- *3 ст. ложки подсолнечного масла*
- *7 ст. ложки молотой горчицы*
- *8 ст. ложки сахара*
- *100 г черной икры*
- *100 г красной икры*
- *соль по вкусу*

Авокадо вымыть, разрезать пополам, очистить и вынуть косточки. Нарезать половинки авокадо тонкими дольками так, чтобы в узкой части фрукта дольки (шириной 0,5—1 см) соединялись, а в широкой были свободно вырезаны. Каждая половинка должна лежать на 1 тарелке веером. Соединить сметану и сахар, взбить до образования пены, после чего добавить винный уксус, подсолнечное масло и горчицу, соль, перец и опять взбить. Соус немного охладить в холодильнике, а затем смазать им авокадо. На самом верху распределить два вида икры. Сразу следует подать на стол.

Салат «хатсукой»

- *200 г вареной говядины*
- *200 г пекинской капусты*
- *2 стакана сухариков*
- *4 вареных яйца*
- *6 ст. ложек майонеза*
- *зелень укропа*
- *перец черный молотый по вкусу*

Вареную говядину нарезать соломкой. Яичные белки натереть на крупной терке. Пекинскую капусту вымыть, разделить на листья, нарезать. Все ингредиенты соединить, добавить сухарики, перец, майонез и перемешать. Перед подачей на стол украсить салат зеленью укропа.

30 мин

БЛЮДА ИЗ РИСА

Гомоку гохан

- *200 г куриных грудок*
- *2 ст. ложки соевого соуса*
- *1—2 ст. ложки сахара*
- *1 ч. ложка имбиря*
- *2 ст. ложки саке (сухого хереса)*
- *600 г риса*
- *500 мл бульона даси*
- *3—4 гриба шиитаке*
- *200 г моркови*
- *20 г тофу*
- *4 веточки укропа и петрушки*

Главным блюдом на свадьбе японцев являлся рис, так же как и на Новый год. В зависимости от характера праздника рисовые блюда готовились определенным способом. Ассортимент блюд из риса просто огромен, и он до сих пор расширяется.

Налить на сковороду соевый соус и саке, всыпать сахар и имбирь и поставить на средний огонь. Обработанные куриные грудки нарезать небольшими кусочками. Грибы обработать, вымыть вместе с морковью и нарезать соломкой. Кусочки курицы обжарить. Получившийся после обжаривания соус смешать с бульоном даси, добавить вымытый рис. Затем влить соевый соус и добавить все остальные компоненты, кроме зелени. Кастрюлю с соусом поставить на огонь и довести до кипения, потом убавить огонь и варить еще 15 минут. Снять кастрюлю с огня и под крышкой подержать еще 15 минут, после чего тщательно перемешать. Выложить на тарелку рис, кусочки курицы и украсить зеленью.

СИФУДО-ТЯХАН

- 250 г очищенных мидий
- 250 г риса
- 100 г репчатого лука
- 100 г моркови
- 1 зубчик чеснока
- 1 ст. ложки светлого соевого соуса
- 1/2 ст. ложки растительного масла
- 1/2 ч. ложки молотого имбиря
- 1/2 ст. ложки кунжутного масла
- зелень петрушки
- молотый белый перец
- соль по вкусу

Очищенные морковь и репчатый лук нашинковать. Зубчик чеснока раздавить плоской стороной ножа. Мидии вымыть, разрезать пополам. В глубокую чугунную посуду налить смесь растительного и кунжутного масел. Добавить чеснок и жарить, пока он не подрумянится, после этого чеснок вынуть. Затем положить морковь и лук. Когда лук станет полупрозрачным, добавить соевый соус и молотый имбирь. Сразу же после этого положить мидии и засыпать рис. Все залить 0,5 л воды и добавить соль, перец. Накрыть крышкой и варить, не перемешивая, на очень слабом огне до готовности, снять с огня и перемешать. Подавать на стол, украсив зеленью петрушки.

1 ч 10 мин

137

ЯСАЙ-ТЯХАН

- *250 г риса*
- *100 г красного сладкого перца*
- *200 мл молока*
- *200 г помидоров*
- *100 г моркови*
- *130 г свежих огурцов*
- *6 сушеных грибов шиитаке*
- *2 зубчика чеснока*
- *1 ч. ложка тертого имбиря*
- *2 ст. ложки соевого соуса*
- *4 ст. ложки растительного масла*
- *1 ч. ложка кунжутного масла*
- ***Для кунжутного соуса:***
- *3 ст. ложки рисового уксуса*
- *3 ст. ложки соевого соуса*
- *3 ч. ложки светлого кунжута*
- *1 ст. ложки сладкого вина*

Для кунжутного соуса обжарить без масла кунжут до золотистого цвета и размолоть. Рисовый уксус перемешать с вином, соевым соусом, кунжутом. Смешать в равных частях молоко с водой и замочить сушеные грибы. Рис вымыть, отварить до полуготовности, откинуть на дуршлаг и промыть холодной водой. Морковь и огурцы нарезать мелкими кубиками. Помидоры обдать кипятком, снять кожицу, разрезать на четыре части, удалить семена. Грибы и сладкий перец мелко нарезать. Нагреть растительное и кунжутное масло на сковороде вок, выложить мелко нарезанный чеснок с имбирем и обжаривать в течение 30 с. Затем добавить морковь, огурцы, помидоры, сладкий перец, грибы и жарить еще 4—6 минут. Добавить соевый соус, выложить в сковороду отваренный рис, хорошо перемешать и прогреть в течение 3—5 минут. Подавать с кунжутным соусом.

НАГАРЭ-БОШИ

- *1200 мл горячего куриного бульона*
- *300 г риса арборио*
- *140 мл водки*
- *80 мл лимонного сока*
- *350 г фенхеля*
- *90 г пармезана*
- *90 г сливочного масла*
- *30 мл оливкового масла*
- *1/2 лимона*
- *1 луковица*
- *5 г соли*
- *3 г черного молотого перца*

Очистить фенхель, вырезать сердцевину и нарезать крупными ломтиками. Нашинковать репчатый лук. Оливковое масло и 40 г сливочного масла раскалить на сковороде. На масле, помешивая, тушить лук и фенхель до мягкости. Засыпать чистый сухой рис и, непрерывно помешивая, обжарить до прозрачности зерен. Залить рис водкой. Когда водка испарится, влить 250 мл горячего куриного бульона. Каждый раз, как жидкость полностью впитается, подливать по 150 мл горячего бульона. Через 25 минут рис должен стать мягким. Добавить 50 г сливочного масла, 50 г натертого сыра и лимонный сок, тщательно перемешать. Снять с огня, дать настояться 3—5 минут. Подавать на стол, посыпав оставшимся тертым сыром и украсив дольками лимона.

40 мин

139

Сутеки гохан

- *1000 мл овощного бульона*
- *300 г коричневого риса*
- *230 г шампиньонов*
- *400 г консервированной красной фасоли*
- *120 г орехов кешью*
- *80 г стручков зеленого горошка*
- *80 г кураги*
- *1 луковица*
- *3 зубчика чеснока*
- *3 стебля сельдерея*
- *70 мл оливкового масла*
- *50 г сыра пармезан*
- *20 г зелени петрушки*

В кастрюле с толстым дном разогреть 40 мл оливкового масла. Очистить и нашинковать лук, обжарить на масле до мягкости.

Засыпать рис и готовить 2— 3 минуты, чтобы зерна стали прозрачными. К рису добавить измельченный чеснок и 350 мл горячего овощного бульона. Когда вся жидкость впитается, добавить 200 мл горячего бульона. Продолжать готовить, помешивая и подливая бульон. Нарезать сельдерей. Грибы промыть, очистить и нарезать соломкой. На сковороде разогреть 30 мл оливкового масла, обжарить в течение 4—5 минут кешью, сельдерей, зеленый горошек и шампиньоны. На сковороду выложить рис, добавить фасоль и мелко нарезанную курагу. Готовить еще 3—4 минуты, постоянно помешивая. Готовое блюдо украсить тертым сыром и петрушкой.

ЭБИ КАНИ ПИРАФУ

- 2 сладких перца
- 2 луковицы
- 1 стакан риса
- белое вино
- 1 пакет морепродуктов (морской коктейль)
- 1 пучок петрушки и укропа
- соль, хмели-сунели по вкусу

Рис в переводе с японского означает «еда». И это как нельзя более точное определение, так как из этого злака японцы могут сделать практически все: приправы, соусы, сладости, пиво, саке и сетю.

Морепродукты отварить в подсоленной воде в течение 8—10 минут. Затем слегка обжарить на сковороде. Отдельно обжарить нарезанный дольками сладкий перец и репчатый лук. Рис вымыть, слегка обжарить на сковороде (отдельно от других продуктов), добавить белое вино и тушить до готовности. В готовый рис выложить овощи и морепродукты, соль, специи, а также зелень. Тушить все вместе 2 минуты.

40 мин

141

ЛАПША

ТОРИ КАДЗУКИРИ ЯКИ

- *200 г куриной грудки*
- *100 г стеклянной лапши*
- *200 г моркови*
- *2 красных болгарских перца*
- *1 зубчик чеснока*
- *2 ст. ложки светлого соевого соуса*
- *1 ст. ложка саке*
- *30 мл растительного масла*
- *1 ст. ложка кунжутного масла*
- *корень имбиря*
- *кунжутное семя*

Стеклянную лапшу замочить на 5 минут в горячей воде или на 30 минут в холодной (варить нельзя, так как лапша растворится). Куриную грудку вымыть, обсушить и нарезать кубиками размером 2,5 × 2,5 см. Болгарский перец и морковь нашинковать соломкой. Мелко нарезать чеснок и немного имбиря (по вкусу). В хорошо нагретый вок налить смесь кунжутного и растительного масел, выложить курицу и жарить на сильном огне в течение 1 минуты, постоянно встряхивая сковороду. После этого добавить имбирь, чеснок, перец, морковь и готовить еще около 3—4 минут. За 1 минуту до готовности влить в вок соевый соус и саке, посыпать кунжутом и снять с плиты. Выложить на тарелку курицу с овощами, лапшу и перемешать.

144

Яки-соба

- 100 г гречневой лапши соба
- 200 г куриной грудки
- 50 г цукини
- 30 г репчатого лука
- 100 г помидоров
- 3 сушеных гриба шиитаке
- 30 г моркови
- 30 мл растительного масла
- 1 ст. ложка соевого соуса
- семена кунжута

Для соуса терияки:
- 50 мл соевого соуса
- 10 г молотого имбиря
- 10 г крахмала
- 2 ст. ложки воды
- 1 ст. ложка сахара или меда
- 50 мл вина мирин

Замочить грибы в теплой воде на 20 минут. Лапшу отварить в течение 2—5 минут. Откинуть на дуршлаг и промыть холодной водой. Куриную грудку вымыть и нарезать кубиками. У помидоров снять кожицу, разрезать на 4 части и удалить семена. Морковь и лук нарезать соломкой. Цукини нарезать мелкими брусочками, а помидоры — кубиками. В хорошо разогретый вок налить растительное масло и выложить куриное филе. Жарить на сильном огне, постоянно встряхивая, в течение 2—3 минут. Далее добавить овощи, соевый соус и жарить до полуготовности. В почти готовые овощи выложить лапшу и, постоянно помешивая, хорошо прогреть ее. Для приготовления соуса терияки в нагретый соевый соус добавить мирин, сахар, молотый имбирь и разведенный в воде крахмал. Выложить лапшу с овощами на тарелку, полить соусом терияки и посыпать кунжутом.

1 ч

145

Домашняя лапша удон

- *300 г лапши удон*
- *150 г куриного филе*
- *150 г креветок*
- *70 г болгарского перца*
- *400 мл бульона даси*
- *2 ст. ложки соевого соуса*
- *2 ст. ложки саке*
- *3 ст. ложки рисового уксуса*
- *1 ст. ложка сахара*
- *1 ч. ложка молотого имбиря*
- *1/2 ст. ложки кунжутного семени*
- *зелень петрушки*

В кастрюлю налить большое количество воды, довести до кипения и опустить лапшу.

Сварить, откинуть на дуршлаг, промыть холодной водой. Креветки опустить в кипящую воду, отварить, очистить от панциря. Куриное филе нарезать поперек волокон тонкими полосками. Болгарский перец вымыть, очистить от семян, нарезать узкими полосками. В вок высыпать кунжутное семя и, постоянно помешивая, слегка поджарить его. Влить в вок соевый соус, бульон даси, саке, рисовый уксус, добавить сахар и молотый имбирь, довести до кипения. В кипящий соус выложить куриное филе, креветки, болгарский перец, лапшу и тушить 4 минуты. Выложить на тарелку и украсить зеленью петрушки.

«СТЕКЛЯННАЯ» ЛАПША С МОРЕПРОДУКТАМИ

- *1 кг морепродуктов*
- *450 г «стеклянной» лапши*
- *2—3 стебля лука-порея*
- *2 сладких болгарских перца*
- *2 моркови*
- *20 г имбиря*
- *1—2 зубчика чеснока*
- *30 мл растительного масла*
- *2 ч. ложки соевого соуса*
- *1 ч. ложка кунжутного масла*
- *1 ч. ложка рисового уксуса*
- *зелень петрушки*
- *соль*

Вымыть и нарезать тонкой соломкой морковь и перец.

Морепродукты обсушить. Лук, имбирь и чеснок очистить, вымыть и мелко нарезать.
Смешать соевый соус, уксус и кунжутное масло. На сковороду налить растительное масло и положить имбирь. Слегка обжарить и добавить морковь, чеснок. Через 5 минут добавить в овощи морепродукты и жарить до загустения. Через 2 минуты добавить сладкий перец и лук. В отдельной кастрюле отварить лапшу. Соединить лапшу с овощами, тщательно перемешать, заправить соусом и посолить. Перед подачей на стол украсить блюдо нарезанной зеленью.

50 мин

147

ТЕМПУРА

КУРИЦА В КЛЯРЕ

- *300 г куриной грудки*
- *50 мл воды*
- *4 ст. ложки рисового уксуса*
- *3 ст. ложки сахара*
- *2 ст. ложки соевого соуса*
- *50 мл десертного вина*
- *3—4 ст. ложки пшеничной муки*
- *1 яичный белок*
- *масло для жарки*
- *Для соуса:*
- *150 мл воды*
- *2 ст. ложки сухого вина*
- *3 ст. ложки тертого дайкона*
- *1 ст. ложка соевого соуса*
- *молотый имбирь*

Нарезать куриное филе тонкими кусочками. В сотейнике смешать воду, рисовый уксус, соевый соус, сахар и нагреть до полного растворения сахара. Маринад снять с плиты и остудить. Положить курицу в готовый маринад и оставить на 20—30 минут. Для кляра смешать муку с яичным белком, добавить вино, 50 мл воды, перемешать. Кусочки курицы обмакнуть в кляр и обжарить до золотистого цвета. Для соуса налить в сотейник воду с имбирем и довести до кипения. Снять с плиты, добавить вино, соевый соус и тертый дайкон. На стол курицу подавать вместе с соусом, который разлить по отдельным соусникам.

Темпура с креветками

- 300 г тигровых креветок
- 3 – 4 ст. ложки смеси рисовой и пшеничной муки
- 1 яичный белок
- 50 мл воды
- 50 мл десертного вина
- кубики льда
- масло для жарки

Для сырного соуса:
- 100 г сыра пармезан
- 100 мл жирных сливок
- 2 ст. ложки острой горчицы
- 1/2 лимона
- зелень петрушки
- перец
- соль

Очистить креветки от панциря, оставив только хвостики.

Из рисовой и пшеничной муки, взбитого яичного белка, десертного вина и воды замесить жидкое тесто для кляра. Непосредственно перед приготовлением креветок положить в кляр кубики льда. Обмакнуть креветки в кляр и обжарить.

Для приготовления соуса влить в сотейник жирные сливки и довести до кипения. Помешивая, добавить тертый пармезан, горчицу, соль и перец по вкусу. Подавать с соусом, украсив зеленью и лимоном.

50 мин

151

ТЕМПУРА С ГРУШЕЙ

- *1 груша*
- *50 мл десертного вина*
- *50 мл воды*
- *1 яичный белок*
- *4 ст. ложки смеси рисовой и пшеничной муки*
- *400 г сахара*
- *1 лимон*
- *200 г меда*
- *кубики льда*
- *масло для жарки*
- *кунжутное семя*

Грушу вымыть, удалить сердцевину, мякоть нарезать длинными тонкими ломтиками. Яичный белок, воду и десертное вино перемешать. Добавить в полученную смесь муку, перемешать. Непосредственно перед приготовлением темпуры добавить в тесто кубики льда. Нарезанную грушу окунуть в полученный кляр и быстро обжарить во фритюре. При приготовлении этого блюда очень важна разница температур между маслом и кляром (он должен быть ледяным). Приготовить сироп. Для этого растворить сахар в 1/3 стакана воды, добавить сок лимона, прокипятить на сильном огне в течение 5 минут. Добавить в сироп мед и варить еще 5 минут. Готовое блюдо положить на тарелку и посыпать кунжутным семенем.

ТЕМПУРА С ЯБЛОКОМ В МЕДОВОМ СИРОПЕ

- *500 г яблок твердых сортов*
- *100 г муки*
- *15 г крахмала*
- *3 яичных белка*
- *150 мл молока*
- *200 г меда*
- *100 г сахара*
- *2 ст. ложки десертного хереса*
- *1 лимон*
- *масло для жарки*

Яблоки тщательно вымыть и удалить сердцевину. Из лимона выжать сок и сбрызнуть им яблоки. Отдельно насыпать в миску крахмал и муку. Взбить молоко с белками, добавить муку. Дать тесту постоять около 10—15 минут. Яблоки обмакнуть в готовый кляр и обжарить во фритюре. Готовые фрукты выложить на салфетку и держать в теплом месте, чтобы не остыли. Сахар развести в небольшом количестве воды, добавить мед и вино. Поставить на слабый огонь и варить, пока сироп не загустеет. Яблоки подавать на стол в теплом виде, полив их сиропом и украсив веточкой мяты.

50 мин

МЯСНЫЕ БЛЮДА

ЯПОНСКИЙ САЛАТ С ВЕТЧИНОЙ

- *250 г ветчины*
- *120 г апельсина*
- *150 г помидоров*
- *несколько листьев салата*
- *зелень петрушки или укропа*

Апельсин вымыть и, не очищая от кожуры, разрезать пополам. Одну часть нарезать тонкими ломтиками. Вторую часть очистить от кожуры и нарезать небольшими тонкими треугольниками. Ветчину нарезать ломтиками средней толщины и выложить на край широкого блюда. В центре блюда выложить вымытые листья салата. Апельсиновые ломтики в виде треугольников положить на листья салата. Оставшиеся апельсиновые ломтики положить на кусочки ветчины. Помидоры вымыть, разрезать на 4 части и также выложить на блюдо с салатом. Перед подачей на стол украсить блюдо веточками петрушки или укропа.

САЛАТ ИЗ СВИНИНЫ С ВОДОРОСЛЯМИ

- 300 г постной свинины
- 1 авокадо
- 100 г водорослей вакаме
- 2 ст. ложки растительного масла
- соевый соус
- васаби-паста
- 1/2 лимона

Для маринада:
- 1/2 ч. ложки тертого имбиря
- 1 ст. ложка саке
- 2 ст. ложки соевого соуса

Для сырного соуса:
- 100 г сыра пармезан
- 100 мл жирных сливок
- 2 ст. ложки горчицы

- соль
- молотый перец

Свинину нарезать. Из имбиря, саке и соевого соуса приготовить маринад. Замариновать свинину на 10—15 минут. Обжарить мясо на растительном масле. Сливки довести до кипения, добавить тертый сыр, когда он расплавится, приправить горчицей, солью и перцем. Водоросли вакаме замочить в теплой воде на 5 минут. Авокадо нарезать и слегка поджарить на том же масле, что и свинину. Горячее мясо смешать с авокадо и водорослями, заправить соевым соусом. Подавать с васаби и соусом, украсив лимоном.

50 мин

ЗАПЕЧЕНАЯ СВИНИНА С ПЕРЦЕМ САНСЕ

- *700 г свиной вырезки*
- *1 ст. ложка растительного масла*
- *4 ст. ложки соевого соуса*
- *2 ст. ложки хереса*
- *1 ч. ложка желтого сахара*
- *1 ст. ложка имбирного сока*
- *1 зубчик чеснока*
- *1 морковь*
- *1 болгарский перец*
- *100 г брокколи*
- *перец сансе*
- *2 ст. ложки васаби*

Смешать растительное масло, соевый соус, имбирный сок, желтый сахар, херес и измельченный чеснок. Свиную вырезку опустить в приготовленную смесь, оставить на 4 часа в холодильнике, при этом вырезку необходимо постоянно переворачивать. Мясо выложить на слегка разогретый противень и поставить в духовку. Готовое мясо нарезать кусочками и посыпать перцем сансе. В качестве гарнира можно подать обжаренные овощи — морковь, брокколи, болгарский перец, приправить васаби.

ТИКА РЕРИ

- *200 г свиного эскалопа*
- *100 г болгарского перца*
- *50 г консервированного ананаса*
- *50 г лука-порея*
- *30 мл растительного масла*
- *1 зубчик чеснока*
- *2 ч. ложки тертого имбиря*
- *соль по вкусу*

Для кисло-сладкого соуса:
- *2 ст. ложки саке*
- *1 ст. ложка меда*
- *1 ст. ложка ананасового сока*
- *2 ст. ложки светлого соевого соуса*
- *1 ст. ложка крахмала*
- *1 апельсин*
- *1 лимон*
- *1 зубчик чеснока*

В сотейник налить саке, ананасовый сок, мед и, постоянно помешивая, довести до кипения. Развести крахмал в соевом соусе и добавить в сотейник. Варить до загустения. Незадолго до готовности добавить в соус сок лимона и апельсина и тертый чеснок. Свинину и ананас нарезать кубиками. Мелко нарезать чеснок. Болгарский перец нарезать ромбиками, лук-порей — кольцами. На глубокой сковороде разогреть растительное масло. Выложить мясо и, встряхивая сковороду, обжарить свинину. Затем добавить сладкий перец, ананас, чеснок, лук, имбирь и соль. Все перемешать, довести до кипения и снять с плиты. Выложить готовое мясо на тарелку и полить кисло-сладким соусом.

1 ч

ГОВЯДИНА С ОВОЩАМИ

- *400 г говяжьей вырезки*
- *100 г стручковой фасоли*
- *1 болгарский перец*
- *1 морковь средней величины*
- *100 г цукини*
- *100 г грибов шиитаке*
- *50 мл растительного масла*
- *50 г лука-порея*
- *кунжутное семя*
- *50 г ростков пшеницы*
  ### *Для соуса Терияки:*
- *6 ст. ложек соевого соуса*
- *6 ст. ложек вина мирин*
- *1 ст. ложка сахара*
- *1 ст. ложка молотого имбиря*
- *1 ст. ложка лимонного сока*

Мясо нарезать поперек волокон.
В сотейнике смешать соевый соус, мирин, молотый имбирь, сахар и лимонный сок. Довести до кипения, убавить огонь и томить еще 2—3 минуты. Снять с огня, остудить. В полученном соусе замариновать мясо на 1,5—2 часа. Морковь, цукини и болгарский перец нарезать соломкой, грибы вымыть, разрезать на 4 части. На сковороде разогреть растительное масло и выложить мясо. Жарить на сильном огне, встряхивая сковороду. Готовое мясо вынуть из сковороды и поместить туда грибы, болгарский перец, стручковую фасоль, морковь, цукини. Жарить 2—3 минуты, затем убавить огонь, добавить кунжут, соус Терияки и продолжать тушить еще 1—2 минуты. Овощи перемешать с ростками пшеницы и выложить вместе с мясом на тарелку.

ГОВЯДИНА С ПЕРЦЕМ И БАКЛАЖАНАМИ

- *400 г телячьей вырезки*
- *100 г стручковой фасоли*
- *150 г баклажанов*
- *70 г болгарского перца*
- *4 зубчика чеснока*
- *50 г лука-порея*
- *растительное масло*
- *зелень петрушки*
- *кунжутное семя*

Для соуса:
- *6 ст. ложек соевого соуса*
- *6 ст. ложек вина мирин*
- *2 ст. ложки сахара*
- *1 ст. ложка молотого имбиря*
- *1 ст. ложка лимонного сока*

Нарезать мясо кусочками поперек волокон. Смешать соевый соус, мирин, сахар, молотый имбирь и лимонный сок. Довести до кипения и томить еще 2—3 минуты, остудить. В полученном соусе на 1,5—2 часа замариновать мясо. Нарезать баклажан, болгарский перец, лук-порей и стручковую фасоль. Нагреть вок, налить растительное масло, выложить мясо, фасоль, овощи и чеснок. Жарить на сильном огне, встряхивая сковороду. Мясо должно быть сверху поджаренным, а внутри — сочным. Подавать, украсив зеленью петрушки и посыпав кунжутом.

2 ч 30 мин

161

КУРИЦА С ОВОЩАМИ

- 500 г куриного филе
- 100 г сладкого перца
- 150 г цветной капусты
- 5 сушеных грибов шиитаке
- 150 мл бульона даси
- 2 ст. ложки соевого соуса
- 2 ч. ложки саке
- 2 ч. ложки вина мирин
- 2 ч. ложки кунжутного масла
- 2 ст. ложки сахара
- зелень укропа
- семена кунжута

  Для маринада:
- 2 ст. ложки соевого соуса
- 2 ст. ложки сухого вина
- 1 луковица
- 2 зубчика чеснока
- 1 ч. ложка тертого имбиря
- 1 перец чили

Куриное филе нарезать кубиками. Мелко нарезать лук, чеснок, перец чили, все перемешать с соевым соусом, имбирем и сухим вином. Этим маринадом залить курицу и поставить в холодильник на 2 часа. Грибы замочить в воде на 20 минут, вынуть и отжать. Оставить 200 мл воды из-под грибов. Нарезать сладкий перец и грибы. Цветную капусту разделить на соцветия. На сковороду влить бульон даси, жидкость из-под грибов, кунжутное масло, саке и довести до кипения. Положить на сковороду курицу, грибы, овощи и кипятить около 3 минут. Добавить соевый соус, сахар и варить еще 10 минут, затем добавить мирин и готовить на сильном огне еще 30—40 секунд, встряхивая сковороду. Блюдо украсить укропом и кунжутом.

162

КУРИНЫЙ РУЛЕТ
С ГРИБАМИ И СЫРОМ

- *2 куриные грудки*
- *300 г грибов шиитаке*
- *50 г сливочного сыра*
- *50 г грецких орехов*
- *2 ст. ложки соевого соуса*
- *2 ст. ложки муки*
- *4 ст. ложки панировочных сухарей*
- *1 яйцо*
- *50 мл растительного масла*
- *соль*

Грибы вымыть, довести до полуготовности, нарезать. Грецкие орехи истолочь. Сыр нарезать кубиками. Куриные грудки разрезать пополам. Сбоку сделать глубокий надрез так, чтобы получился кармашек. Смешать грибы, сыр, орехи и соевый соус. Полученной массой нафаршировать куриные грудки. Завернуть края филе так, чтобы получился рулет. Запанировать рулет в смеси муки и соли и обмакнуть во взбитое яйцо, посыпать панировочными сухарями. Обжарить на растительном масле до образования корочки, затем убавить огонь и жарить до готовности.

50 мин

163

ЦЫПЛЕНОК ТЕПАН-ЯКИ
С КАРТОФЕЛЕМ ФРИ

- *800 г куриных грудок*
- *4 ст. ложки соевого соуса*
- *4 ст. ложки крахмала*
- *125 мл портвейна*
- *400 г картофеля*
- *1 ст. ложка оливкового масла*
- *1/2 лимона*
- *масло для жарения*
- *зелень петрушки*

Нарезать грудки поперек волокон полосками. Для маринада смешать соевый соус и портвейн и замочить в нем куриные грудки на 10—

15 минут. Вынуть, обсушить и обвалять в крахмале. Протереть жарочную поверхность тепан-яки салфеткой, пропитанной оливковым маслом и хорошо раскалить ее. Выложить грудки и обжарить до золотистой корочки.
Очищенный картофель вымыть, обсушить, нарезать брусочками и обжарить на большом количестве масла. Готовый картофель выложить на салфетку и дать стечь лишнему маслу. Выложить грудки и картофель на тарелку, украсить зеленью петрушки и лимоном.

КУРИНЫЕ КРЫЛЫШКИ С КУНЖУТОМ

- *500 г куриных крылышек*
- *6 ст. ложек саке, разбавленного теплой водой в пропорции 1 : 3*
- *4 ст. ложки соевого соуса*
- *2 ст. ложки растительного масла*
- *3 ст. ложки соевого соуса*
- *4 ст. ложки семян кунжута*
- *1/2 лимона*
- *маринованные водоросли вакаме*
- *листья салата*
- *зелень петрушки*
- *соль по вкусу*

Куриные крылышки вымыть. На глубокой сковороде разогреть растительное масло. Выложить крылышки в кипящее масло и обжарить с двух сторон до образования золотистой корочки. Сразу после приготовления посыпать кунжутом.

На стол подавать с веточками петрушки и соевым соусом, который налить в отдельную посуду. В качестве гарнира подойдет нарезанный ломтиками лимон, маринованные водоросли вакаме и свежие листья салата.

50 мин

СПРИНГ-РОЛЛЗ ИЗ УТИНОГО МЯСА

- *200 г фарша из утиного мяса*
- *50 г рисовой лапши*
- *1 морковь*
- *9 сушеных грибов шиитаке*
- *1 яйцо*
- *1 ч. ложка сахара*
- *2 ст. ложки подсолнечного масла*
- *1 упаковка рисовой бумаги*
- *3 ст. ложки панировочных сухарей*
- *1/2 лимона*
- *листья салата*
- *соль по вкусу*

Залить кипятком рисовую лапшу и грибы, оставить на 15 минут под закрытой крышкой, затем слить воду и нарезать лапшу и грибы. Натереть на крупной терке морковь. В фарш добавить желток, тщательно перемешать, затем добавить морковь, грибы, рисовую лапшу, сахар и соль. Рисовую бумагу нарезать одинаковыми квадратами, затем положить в них по 2 ст. ложки фарша и свернуть так, чтобы фарш был полностью закрыт по бокам. Смазать яичным белком, запанировать в сухарях. Выложить рулетики на противень, смазанный подсолнечным маслом, и обжарить в духовке. Выложить на бумажные салфетки, чтобы стек жир. Подавать на листе салата, украсив ломтиком лимона.

Утка с овощами и сырными шариками

- *600 г мяса утки*
- *50 мл растительного масла*
- *50 г муки*
- *3 листа салата-латука, лолло-россо, радиккьо*
- *1 морковь*
- *200 г сыра*
- *1 апельсин*
- *1 огурец*
- *15 мл коньяка*
- *4 яичных белка*
- *красный молотый перец*
- *растительное масло для жарения*
- *соль*

  Для маринада:
- *50 мл соевого соуса*
- *50 мл саке*
- *2 ч. ложки тертого имбиря*

Нарезать мясо утки поперек волокон. Смешать соевый соус, саке, имбирь и раздавленный чеснок. В маринад выложить мясо утки и оставить на 20—30 минут. Вынуть мясо из маринада, обсушить, обжарить на растительном масле. Взбить 4 яичных белка. На мелкой терке натереть сыр и смешать его с белками, коньяком и солью. Сделать небольшие шарики, обвалять их в муке и обжарить, пока они не увеличатся в 2 раза. Морковь очистить, натереть соломкой. Апельсин очистить, нарезать ломтиками. Огурец мелко нарезать. На тарелку выложить листья салата, мясо утки, сырные шарики, ломтики апельсина, морковь, огурцы. Все перемешать.

1 ч 20 мин

КАКОНО-КАРИНЗ

- *300 г утиной грудки*
- *150 г риса*
- *100 г сладкого перца*
- *100 г моркови*
- *100 г репчатого лука*
- *100 г кукурузной муки*
- *3 сушеных гриба шиитаке*
- *1 ст. ложка рисового вина*
- *1,5 ч. ложки тертого имбиря*
- *2 ч. ложки кунжутного масла*
- *50 мл растительного масла*
- *1/2 ч. ложки морской соли*
  Для соуса:
- *250 мл куриного бульона*
- *3 ст. ложки рисового вина*
- *2 ст. ложки лимонного сока*
- *1 ч. ложка коричневого сахара*

Рис сварить. Утиную грудку нарезать поперек волокон.

Смешать 50 мл воды рисовое вино, 1 ч. ложку имбиря, нарезанный лук и соль. Залить полученным маринадом мясо и оставить на 2—2,5 часа, затем обсушить и запанировать в муке. Смешать 25 мл растительного масла и 1 ч. ложку кунжутного масла, нагреть. Добавить мясо утки и жарить 2—3 минуты. Вынуть мясо, дать маслу стечь и положить в огнеупорную посуду. Смешать куриный бульон, рисовое вино, лимонный сок, сахар и залить мясо утки. Варить на слабом огне 15—20 минут, постоянно помешивая, пока мясо не станет мягким, а соус — густым. Мелко нарезать морковь, замоченные грибы, перец и обжарить в смеси растительного и кунжутного масел с добавлением имбиря. На тарелку выложить рис, тушеные овощи и мясо утки.

ШАШЛЫЧОК ИЗ КУРИНОЙ ГРУДКИ

- *4 куриные грудки*
- *2 ст. ложки саке*
- *2 ст. ложки сока лимона*
- *1 лист салата*
- *1 болгарский перец*
- *маслины*
  ### *Для маринада:*
- *4 ст. ложки сею*
- *4 ст. ложки саке*
- *1 ч. ложка имбирного сока*
- *1/2 ст. ложки соли*

Смешать сею, саке, имбирный сок и соль. Куриные грудки вымыть, обсушить, положить на 30 минут в приготовленный маринад. Разогреть духовку до 250 °С. Куриные грудки нанизать на деревянные шампуры, сбрызнуть саке и соком лимона и выложить на решетку. Поставить в духовку на 15 минут, затем перевернуть и довести до готовности. Шашлык должен обжариться со всех сторон, но при этом не потерять сочности. Подавать на стол на листе салата, украсив кольцами болгарского перца и маслинами. В качестве гарнира можно использовать отварной рис или тушеные овощи.

1 ч 15 мин

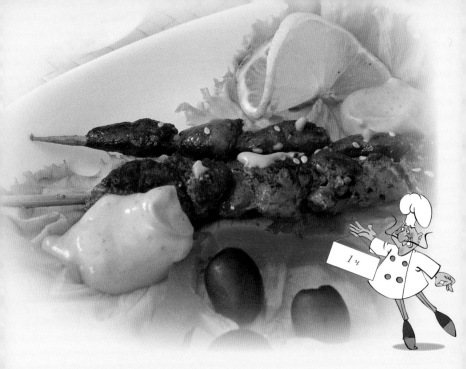

ШАШЛЫЧОК ИЗ КУРИНОЙ ПЕЧЕНИ

- 800 г куриной печени
- 4 ст. ложки сахара
- 1 ч. ложка молотого имбиря
- 1 стакан говяжьего бульона
- 3 ст. ложки соевого соуса
- 3 ст. ложки кукурузного крахмала
- 1/2 лимона
- 1/2 болгарского перца
- 3 маслины
- 3 ст. ложки саке
- 3 ст. ложки подсолнечного масла

Родиной имбиря считается Китай, где его культивируют уже более 2000 лет.

Смешать говяжий бульон, сахар, измельченный имбирь, соевый соус и довести до кипения на слабом огне. Затем добавить кукурузный крахмал, разведенный в саке. Бульон оставить на слабом огне до загустения. Куриную печень нарезать, насадить на шампуры. Сбрызнуть подсолнечным маслом и поставить в разогретую духовку. В процессе приготовления поливать мясо приготовленным соусом. Готовое блюдо подавать, не снимая с шампуров, украсив лимоном, маслинами и болгарским перцем.

ШАШЛЫЧОК ИЗ КУРИНЫХ РУЛЕТИКОВ В БЕКОНЕ

- *400 г куриных грудок*
- *200 г бекона*
- *100 г твердого сыра*
- *50 мл растительного масла*
- *50 мл кунжутного масла*
- *2 грецких ореха*
- *лук-порей*
- *зелень петрушки*
- *перец черный молотый*
- *соль*

Куриные грудки вымыть, сделать надрез вдоль грудки, так, чтобы можно было ее развернуть.

Отбить, посолить и поперчить по вкусу. Сыр натереть на мелкой терке. Лук-порей мелко нарезать. Грецкие орехи измельчить. Выложить начинку на грудку, свернуть ее рулетом и обернуть сверху ломтиком бекона. Нанизать куриные рулетики на шампуры. На противень налить смесь растительного и кунжутного масел и выложить рулетики. Жарить в духовке при температуре 180 °C в течение 45—50 минут. Подавать, украсив лимоном и веточкой петрушки. В качестве гарнира можно использовать любые овощи.

1 ч 20 мин

МОРЕПРОДУКТЫ ПО-ЯПОНСКИ

Салат с соусом тар-тар

- *100 г крабового мяса*
- *50 г тигровых креветок*
- *100 г мяса мидий*
- *70 г сливочного сыра*
- *2 помидора*
- *1 огурец*
- *2 ст. ложки лимонного сока*
- *4 ст. ложки рисового вина*
- *50 мл оливкового масла*
- *1 кочан салата фризе*
- *зелень укропа*
- *молотый белый перец*
- *соль*
- *Для соуса тар-тар:*
- *2 яичных желтка*
- *1 ст. ложка лимонного сока*
- *2 ст. ложки каперсов*
- *4 корнишона*
- *170 мл растительного масла*
- *1 зубчик чеснока*
- *1/2 ч. ложки порошка горчицы*
- *1/2 ч. ложки морской соли*

Из оливкового масла, лимонного сока и вина сделать маринад. Добавить измельченный укроп, белый перец и соль. Креветки очистить и замариновать вместе с мидиями на 20—25 минут, затем слегка обжарить на гриле. Отваренное мясо краба и сливочный сыр нарезать. Помидоры и огурец вымыть, нарезать.

Для соуса тар-тар взбить в блендере яичные желтки, соль и лимонный сок. Не переставая взбивать, влить растительное масло. Затем положить в блендер корнишоны, каперсы и чеснок. Измельчить. Выложить на тарелку морепродукты, сыр, помидоры, огурцы. Заправить соусом тар-тар и украсить листьями салата фризе.

Хе из лосося

- 250 г филе лосося
- 120 г огурцов
- 150 г помидоров
- 2 головки маринованного лука
- 2—3 ст. ложки растительного масла
- 1 щепотка молотого красного перца
- 1 ч. ложка уксусной эссенции
- зелень укропа и петрушки
- соль, черный перец

Филе лосося разделить на порционные куски, выложить в эмалированную (стеклянную) посуду, посолить и добавить черный и красный молотый перец. Залить лосося растительным маслом, добавить уксусную эссенцию, перемешать и оставить на некоторое время, пока не выделится сок. Размешать и поставить под гнет на 3 часа. Огурцы и помидоры нарезать тонкими кусочками, смешать с готовым филе и маринованным луком. Перед подачей на стол, заправить блюдо острым соусом и украсить веточками петрушки или укропа.

3 ч 15 мин

САЛАТ ИЗ ЛОСОСЯ
С ОГУРЦАМИ И МОРКОВЬЮ

- *200 г лосося*
- *65 г красной икры*
- *80 г икры тобико*
- *150 г огурцов*
- *100 г моркови*
- *1 лимон*
- *зелень укропа или петрушки*
- *специи для рыбы*

Наравне с рисом и морепродуктами овощи и грибы являются основой японской кулинарии, они помогают разнообразить ежедневную «рисовую диету».

Огурцы и лимон вымыть и нарезать кружочками средней толщины. Морковь вымыть, нарезать тонкой соломкой. Филе лосося, приправленное специями для рыбы, нарезать ломтиками и положить на блюдо. К рыбе добавить ломтики лимона, затем огурцы. Выложить на одни кружочки из огурцов икру тобико, а на другие — красную икру. Рядом с рыбой положить приправленную специями морковь. Украсить блюдо веточками петрушки или укропа.

Семга
с морепродуктами

- *300 г филе копченой семги*
- *150 г помидоров*
- *30 г сушеной морской капусты комбу*
- *100 г мелких креветок*
- *150 г кальмара*
- *2 ст. ложки растительного масла*
- *1 ч. ложка кунжутного масла*
- *1 ст. ложка соевого соуса*
- *1 ч. ложка лимонного сока*
- *зелень петрушки*
- *семена кунжута*

Морскую капусту отварить в воде в течение 40—50 минут. Семгу нарезать мелкими кубиками и полить лимонным соком. Кальмара очистить, нарезать полукольцами. Помидоры обдать кипятком, очистить от кожицы, разрезать на 4 части и удалить семена. Затем каждую часть разрезать еще раз пополам. Морскую капусту нарезать полосками. В нагретую сковороду налить растительное и кунжутное масла, положить кальмары, креветки и жарить около 1 минуты. Далее выложить морскую капусту, помидоры и жарить, постоянно встряхивая, еще 2—5 минут. Влить соевый соус и снять с огня. Выложить на тарелку семгу, морепродукты и овощи, посыпать кунжутом и украсить зеленью петрушки.

1 ч 15 мин

177

ЖАРЕНАЯ СЕМГА С ЛУКОМ-ПОРЕЕМ

- *350 г семги (шейная часть)*
- *200 г молодого лука-порея*
- *1 лимон*
  Для соуса:
- *5 ст. ложек светлого соевого соуса*
- *5 ст. ложек рыбного бульона*
- *2 ст. ложки сахара*
- *5 ст. ложек сухого белого вина*
- *3 ст. ложки сладкого хереса*
- *1 зубчик чеснока*

В сотейнике смешать белое вино, херес, рыбный бульон, соевый соус и сахар, довести до кипения, добавить измельченный чеснок и варить на слабом огне около 2 минут. Процедить соус и остудить. Перелить 1/3 соуса в соусник для подачи на стол, остальное использовать для приготовления маринада. Лук-порей вымыть, нарезать. Разделанную семгу и лук мариновать в соусе в течение 10 минут. Жарить рыбу на гриле в течение 10 минут, при этом смазывая оставшимся после маринования соусом. Подавать с соусом, украсив рыбу дольками лимона.

Семга в соусе с японскими грибами

- *500 г филе семги*
- *200 г помидоров*
- *30 г сушеной морской капусты*
- *5 сушеных грибов шиитаки*
- *20 мл растительного масла*
- *зелень петрушки*
- *Для маринада:*
- *2 зубчика чеснока*
- *1 лимон*
- *20 мл растительного масла*
- *белый перец*
- *Для соуса:*
- *1 апельсин*
- *1 ст. ложка крахмала*
- *1 ч. ложка молотого имбиря*

Замочить грибы в воде на 20 минут. Выжать сок из лимона, добавить измельченный чеснок, растительное масло, перец по вкусу. Филе семги нарезать и замочить в полученном маринаде на 30—35 минут. Морскую капусту отварить. Помидоры обдать кипятком, снять кожицу и удалить семена.

На сковороде разогреть растительное масло, положить семгу и жарить на сильном огне до образования румяной корочки. Отдельно обжарить грибы, морскую капусту и нарезанные помидоры. Смешать сок апельсина, 50 мл воды из-под грибов, крахмал, имбирь и уварить до загустения. Обжаренные овощи выложить на сковороду к рыбе, полить соусом и хорошо прогреть. Подавать, украсив зеленью петрушки и дольками лимона.

1 ч 30 мин

ЖАРЕНЫЙ ЛОСОСЬ С ВОДОРОСЛЯМИ

- *600 г лосося*
- *2 ст. ложки светлого мисо*
- *2 ст. ложки красного десертного вина*
- *2 ст. ложки даси*
- *1 яичный желток*
- *20 г зеленых водорослей*
- *1 помидор*
- *1 лимон*
- *50 мл подсолнечного масла*
- *соль по вкусу*

Лосося нарезать кусочками, обжарить на подсолнечном масле.

Смешать светлый мисо, вино и даси. Поставить на 10—15 минут на паровую баню, постоянно помешивая. Когда смесь начнет закипать, добавить желток, перемешать. Этим соусом полить рыбу, поставить в разогретую духовку и запечь до образования хрустящей корочки. Помидор обдать кипятком, снять кожицу, нарезать небольшими дольками. Лимон вымыть, нарезать. Положить на тарелку зеленые водоросли, сверху — кусочки лосося. Украсить дольками помидора и лимона.

УГОРЬ В КЛЯРЕ

- 250 г филе угря
- 50 мл десертного вина
- 1 сладкий перец
- 4 ст. ложки смеси рисовой и пшеничной муки
- 1 яичный белок
- 1 корень сельдерея
- растительное масло
- кубики льда

Для соуса:
- 200 мл воды
- 2 ст. ложки сухого вина
- 3 ст. ложки тертого дайкона
- 1 ст. ложка соевого соуса
- молотый имбирь

Рыбное филе, корень сельдерея и сладкий перец нарезать. Из смеси рисовой и пшеничной муки, яичного белка, вина и воды замесить тесто. Воду добавлять постепенно (до консистенции сметаны). Перед приготовлением рыбы положить в кляр кубики льда. Кусочки угря и овощей обмакнуть в кляр и обжарить во фритюре. Приготовить соус. Для этого в сотейнике довести до кипения воду вместе с имбирем, влить вино, соевый соус и добавить тертый дайкон. Жареную рыбу и овощи подавать на стол вместе с соусом, который разлить по отдельным соусникам.

50 мин

Морской окунь «Император»

- *300 г филе окуня*
- *250 г брокколи*
- *25 мл растительного масла*
- *30 г лука-порея*
- *50 г тертого сыра*
- *20 г муки*
- *1/2 лимона*
- *Для соуса:*
- *50 мл меда*
- *50 мл саке*
- *50 г сахара*
- *50 мл рисового вина*
- *100 мл светлого соевого соуса*
- *20 г лука-порея*
- *1 ч. ложка молотого имбиря*
- *200 мл воды*

Смешать все ингредиенты для соуса, поставить на огонь и довести до кипения. Затем снять и дать настояться в течение 10 часов. Перед употреблением соус процедить. Брокколи вымыть, разобрать на соцветия и бланшировать. Филе окуня нарезать кусочками и запанировать в муке. Обжарить рыбу на растительном масле. Затем слить масло, в котором жарился окунь, и добавить его к рыбе вместе с 50 мл соуса, нарезанным луком-пореем, брокколи и все довести до кипения. Вынуть рыбу, брокколи и дать соусу закипеть еще раз. Выложить все на тарелку, посыпать сыром. Украсить дольками лимона.

182

МАКРЕЛЬ, ЖАРЕННАЯ С ГАРНИРОМ

- 300 г макрели
- 100 г пекинской капусты
- 1 болгарский перец
- 1 лимон

Для маринада:
- 50 мл соевого соуса
- 15 г сахара
- 50 мл десертного вина
- 5 г тертого имбиря
- 2 ст. ложки оливкового масла

Для соуса:
- 100 г сыра пармезан
- 100 мл жирных сливок
- 30 г горчицы
- соль, перец по вкусу

Макрель очистить, вымыть, обсушить, удалить все кости. Смешать соевый соус, сахар, вино и имбирь. Положить рыбное филе в маринад на 25 минут. Затем рыбу пожарить на гриле. Влить в сотейник жирные сливки и довести до кипения. Натереть на терке сыр, добавить его к сливкам и, постоянно помешивая, варить до расплавления сыра, приправить горчицей, солью и перцем. Готовым соусом полить рыбу.

Нарезать болгарский перец и пекинскую капусту, сбрызнуть лимонным соком, обжарить на оливковом масле и подать в качестве гарнира к рыбе.

50 мин

ШАШЛЫЧОК
ИЗ ТИГРОВЫХ КРЕВЕТОК

- *16 тигровых креветок*
- *1 зубчик чеснока*
- *1 перец чили*
- *1 ст. ложка кунжутного масла*
- *1 ст. ложка темного соевого соуса*
- *2 ст. ложки сока лайма*
- *1 ст. ложка коричневого сахара*
- *3 листа салата лолло-россо*

В японской кухне распространено употребление морепродуктов как в сыром, так и в живом виде. Такие блюда называются «одори».

Соединить измельченный чеснок, перец чили, соевый соус, кунжутное масло, сок лайма и коричневый сахар. Поставить на слабый огонь и, постоянно помешивая, варить до растворения сахара. Снять соус с плиты, остудить. Вымыть креветки и очистить от панциря. В широкую посуду в один слой выложить креветки, полить их маринадом и поставить в холодильник на 8—9 часов. Нанизать креветки на шампуры и запекать на гриле или углях 5—6 минут, пока они не станут розовыми. Подавать с салатом лолло-россо и долькой лимона.

Креветки, жаренные в сухарях

- *800 г тигровых креветок*
- *1 ст. ложка муки*
- *1 яйцо*
- *2—3 ст. ложки панировочных сухарей*
- *2 корня петрушки*
- *жир для жарки*
- *2 ст. ложки соевой пасты мисо*
- *рисовый уксус*
- *зелень петрушки*
- *1/2 лимона*
- *соль*

Корень петрушки вымыть, положить в воду и довести до кипения. Добавить креветки и варить 2—3 минуты. Готовые креветки очистить от панциря. Взбить яйцо со щепоткой соли. Креветки запанировать в муке, смочить во взбитом яйце и запанировать в сухарях. Обжарить креветки в большом количестве жира в течение нескольких минут. Подавать с соевой пастой мисо, разведенной с рисовым уксусом. Оформить тарелку веточками петрушки и дольками лимона.

1 ч

185

КАЛЬМАРЫ В КЛЯРЕ

- *500 г кальмаров*
- *100 г пшеничной муки*
- *1 яичный белок*
- *25 мл хереса*
- *масло для жарки*
  Для соуса:
- *50 мл воды*
- *30 мл десертного вина*
- *1 ст. ложка соевого соуса*
- *3 ст. ложки тертого дайкона*
- *1/2 ч. ложки молотого имбиря*

Тушку кальмара обдать кипятком, очистить от темной кожицы и вынуть хорду. Нарезать кальмара кольцами толщиной около 0,5 см. Из муки, воды и вина замесить жидкое тесто для кляра. Взбить яичный белок и добавить его в тесто. Обмакнуть кольца кальмара в кляр и обжарить на масле до золотистого цвета. В сотейнике воду с молотым имбирем довести до кипения, затем влить вино и соевый соус. Снять с огня и добавить тертый дайкон. Приготовленный соус налить в маленькие соусники. Во время еды обжаренные колечки кальмаров обмакивать в соус.

Кальмар-ча

- *200 г моркови*
- *100 г болгарского перца*
- *150 г свежих огурцов*
- *250 г маринованных кальмаров*
- *маринад*
- *зелень*
- *специи*

Морковь и свежие огурцы очистить, вымыть. Морковь нарезать тонкой соломкой, приправить небольшим количеством специй и перемешать. Болгарский перец очистить от семян, ополоснуть водой и нарезать небольшими кусочками средней толщины. Маринованные кальмары нарезать небольшими кусочками, соединить с морковью, огурцами и болгарским перцем. Заправить салат приготовленным маринадом и перемешать. По желанию украсить салат мелко нарезанной зеленью укропа и веточками петрушки.

30 мин

187

МИДИИ С КОРОЧКОЙ ИЗ ЗЕЛЕНИ И СЫРА

- *25 половинок крупных готовых мидий*
- *63 г мягкого сливочного масла*
- *2 небольших зубчика чеснока*
- *1,5 ст. ложки измельченного шнитт-лука*
- *1,5 ст. ложки измельченной зелени петрушки*
- *30 г свежих хлебных крошек*
- *30 г тертого пармезана*
- *черный молотый перец*
- *дольки лимона*

Чеснок измельчить и смешать с мягким сливочным маслом, шнитт-луком, петрушкой и молотым черным перцем. Смешать тертый пармезан со свежими хлебными крошками. Мидии вынуть из раковин и положить в один слой в огнеупорную форму. На каждую мидию положить кусочек масла с чесноком и зеленью. Разогреть гриль. Поставить форму на гриль, чтобы масло растаяло. Вынуть форму. Посыпать мидии пармезаном с крошками и снова поставить форму на гриль на 1—2 минуты, пока корочка не станет румяной. На стол мидии подавать, украсив зеленью и лимоном.

САЛАТ ИЗ МИДИЙ С ГОРОШКОМ

- 300 г вареных мидий
- 250 г консервированного зеленого горошка
- 100 г зеленого салата
- 100 г майонеза
- 100 г репчатого лука
- 1 ст. ложка растительного масла
- 2 яйца
- по 2 ст. ложки измельченной зелени укропа и петрушки
- соль по вкусу

Мидии распространены в прибрежной зоне, местах впадения рек в море. Основной промышленный лов мидий производится в Норвегии. Но в основном мидий разводят искусственно.

Лук очистить, нарезать. Яйца сварить, нарезать. Смешать измельченный зеленый салат с луком, зеленым горошком, мидиями, зеленью, яйцами, растительным маслом, солью и майонезом. Украсить зеленью.

25 мин

189

ЛОСОСЬ С САЛЬСОЙ ВЕРДЕ

- *2 филе лосося*
- *3 ст. ложки оливкового масла*
- *2 филе анчоусов*
- *1 ст. ложка каперсов*
- *1 ст. ложка бальзамического уксуса*
- *10 г сыра пармезан*
- *1 зубчик чеснока*
- *1 лимон*
- *по 1 пучку мяты, базилика и укропа*

Масло разделить на 2 части. Сыр натереть на крупной терке. Чеснок очистить. Лимон вымыть холодной водой и выжать сок. Мяту, базилик, укроп перебрать, вымыть холодной водой. Рыбу вымыть холодной водой и положить в неметаллическую посуду. Рыбу залить 1 частью масла и уксусом. Каперсы, анчоусы, сыр, чеснок, сок лимона, мяту, базилик, укроп соединить и измельчить в кухонном комбайне. Рыбу обжаривать на оставшейся части масла 4 минуты. Рыбу перевернуть и обжаривать еще 4 минуты. Положить рыбу на блюдо, сверху положить соус и подавать на стол.

Мидии на пару

- *1 кг мидий*
- *2 см корня имбиря*
- *1 пучок зеленого лука*
- *4 ст. ложки соевого соуса*
- *2 ст. ложки растительного масла*
- *соль и молотый перец*

Мидии, продаваемые в свежем виде, не подлежат заморозке. Замораживать можно только мидии, которые были подвергнуты тепловой обработке.

В кастрюле довести до кипения 1 л воды. На кастрюлю установить большое блюдо, смазать его маслом и положить туда мидии. Блюдо прикрыть фольгой и крышкой для сохранения тепла и варить в течение 30 минут, добавив соль и перец.

Для соуса нарезать имбирь маленькими кубиками, перемешать с маслом, соевым соусом, измельченным луком и перцем. Когда мидии сварятся, подавать их на стол, полив соусом.

30 мин

191

УГОРЬ В МАРИНАДЕ

- *250 г угря*
- *по 0,5 корня петрушки
  и сельдерея*
- *1 луковица*
- *1 лавровый лист*
- *0,5 стакана 3%-ного уксуса*
- *1 бутон гвоздики*
- *перец по вкусу*

*Блюда из угря достаточно
дорогие, поэтому ими угощают
гостей. Блюдо из угря даже
можно кому-нибудь подарить на
праздник, такой подарок
равносилен по стоимости
бутылке хорошего вина.*

Угря обработать, нарезать кусками,
отварить и положить в сотейник.
Для приготовления маринада
в кипящую воду добавить уксус,
нарезанный кольцами репчатый
лук, соль и специи. Залить угря
охлажденным маринадом
и оставить на холоде до полного
застывания.

МОРЕПРОДУКТЫ, ОБЖАРЕННЫЕ С ГРИБАМИ И СТРУЧКАМИ ГОРОХА

- 4 ст. ложки кунжутного масла
- 2 ст. ложки подсолнечного масла
- 15 морских гребешков
- 300 г креветок
- 400 г грибов
- 400 г стручков зеленого горошка
- 2 кусочка корня имбиря
- 2 зубчика чеснока
- 2 ст. ложки соевого соуса
- 0,5 лимона или лайма
- соль по вкусу

Грибы перебрать, вымыть и мелко нарезать. Креветки вымыть и очистить от усов и панцирей. Морские гребешки вымыть и каждый разрезать пополам. Стручки зеленого горошка перебрать и вымыть. Сильно нагреть сковороду с антипригарным покрытием, налить в нее подсолнечное и кунжутное масла и обжарить морские гребешки и креветки до золотистого цвета. Постоянно помешивать, а когда морепродукты будут готовы, добавить грибы и стручки зеленого горошка и готовить еще 5–10 минут. После этого посолить по вкусу, заправить тертым имбирем, измельченным чесноком и соевым соусом. Содержимое сковороды тщательно перемешать. В конце приготовления сбрызнуть соком лимона или лайма. Подавать горячим в качестве гарнира к рыбе или как самостоятельное блюдо.

30 мин

Салат с макрелью

- *200 г длиннозерного риса*
- *4 помидора*
- *200 г консервированного филе макрели*
- *1/2 пучка лука-резанца*
- *1/2 пучка петрушки*
- *2 ст. ложки винного уксуса*
- *1 ч. ложка горчицы*
- *3 ст. ложки растительного масла*
- *4 анчоуса*
- *3 л воды*
- *черный молотый перец*
- *соль по вкусу*

Рис тщательно вымыть несколько раз, затем залить кипящей подсоленной водой, сварить на слабом огне.

Помидоры вымыть, 3 помидора обдать кипятком, очистить от кожицы и удалить семена, нарезать небольшими кусочками.

Рыбу размять вилкой, добавить рис, помидоры и перемешать салат. Лук и петрушку перебрать, вымыть, обсушить, мелко нарезать, добавить в салат. Уксус, горчицу, перец, соль соединить, добавить масло и перемешать соус. Салат заправить соусом, закрыть крышкой, оставить на 30 минут при комнатной температуре. Положить в салатник, украсить дольками помидора и анчоусами, подавать на стол.

«ФАНТАЗИЯ ПРО АЗИЮ»

- *300 г тигровых креветок*
- *1 баклажан*
- *1 ч. ложка молотого корня имбиря*
- *2 зубчика чеснока*
- *1 перец чили*
- *1 желтый болгарский перец*
- *100 г стручков зеленого горошка*
- *5 листьев китайского салата*
- *1 лайм*
- *600 мл кокосового молока*
- *4 ст. ложки растительного масла*
- *соль по вкусу*

Баклажан вымыть, удалить семена, нарезать мелкими кубиками

и обжаривать на масле 2 минуты. Чеснок очистить и мелко нарезать. Перец чили вымыть, разрезать на 2 части, удалить семена, нарезать тонкими полосками. Болгарский перец вымыть, удалить семена, нарезать соломкой. Стручки горошка вымыть, нарезать небольшими кусочками. Салат вымыть, нарезать крупными кусками. Лайм вымыть, выжать сок, цедру мелко нарезать. Чеснок, имбирь, чили обжаривать в воке на масле 1 минуту. Добавить болгарский перец, креветки, перемешать, обжаривать 8 минут. Добавить баклажаны, горошек, молоко, сок, цедру, соль, перемешать, варить 15 минут. Добавить салат, варить 1 минуту, цедру вынуть. Положить овощи на блюдо и подавать на стол.

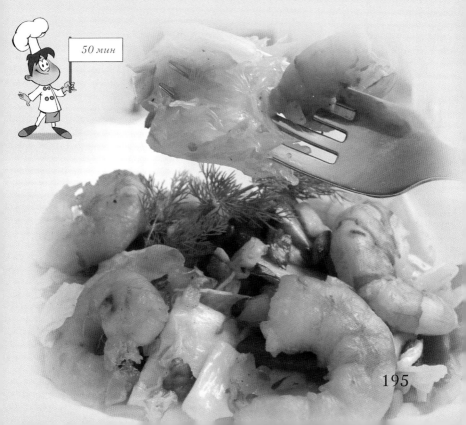

50 мин

Рулет с семгой

- *200 г плавленого сыра*
- *100 мл сливок (33%-ной жирности)*
- *100—150 г малосольной семги*
- *1 тонкий лаваш*
- *веточки укропа*

Сливки и сыр взбить миксером. Разложить лаваш и смазать его этой массой. Семгу нарезать мелкими кусочками, равномерно разбросать по лавашу. Лаваш свернуть в рулет, обернуть фольгой и положить в холодильник на 3 часа, чтобы пропитался. Затем рулет нарезать наискосок кусочками толщиной 1—1,5 см. Выложить на большую плоскую тарелку и украсить веточками укропа.

Вместо филе семги можно использовать брюшко семги. Оно более нежное и жирное, чем само мясо. Его понадобится чуть больше, примерно 250—300 г.

РУЛЕТ С КОПЧЕНЫМ ЛОСОСЕМ И СПАРЖЕЙ

- *100 г спаржи*
- *200 г мягкого сливочного сыра*
- *1 пучок шнитт-лука*
- *1 лимон*
- *250—300 г копченого лосося*
- *соль, молотый перец по вкусу*

Если лосось очень соленый, его можно поместить на 1 час в молоко. Затем сполоснуть водой.

Спаржу вымыть и отварить в кипящей воде в течение 1 минуты. Воду слить, а спаржу промыть холодной водой. У каждой палочки спаржи отрезать снизу по 5 см и мелко нарезать, сохраняя верхушку. Шнитт-лук вымыть, мелко нарезать. Цедру лимона натереть на мелкой терке. Смешать сыр, шнитт-лук, лимонную цедру, приправить солью и перцем.

Лосося разрезать на 12 полосок. Положить в центр каждой по 1 ст. ложке сырной массы, верхушку спаржи и свернуть в виде рулета и выложить на блюдо.

30 мин

Салат «МОРСКОЙ КОКТЕЙЛЬ»

- *1 ст. ложка нарезанных листьев кинзы*
- *1 ст. ложка нарезанного зеленого лука*
- *100 мл рыбного бульона*
- *1 побег лимонной травы*
- *1 лист кафрского лайма*
- *2 красных перца чили*
- *2 веточки кинзы*
- *30 г бобовой лапши*
- *1 ст. ложка соуса к рыбе*
- *180 г кальмаров*
- *7 листьев мяты*
- *1 стебель лука-шалота*
- *6 креветок*
- *1/4 огурца*
- *6 устриц*
- *1 лайм*

Рыбный бульон довести до кипения. По очереди сварить в бульоне нарезанные кольцами кальмары, очищенные креветки и устрицы (по 3 минуты). Замочить в теплой воде бобовую лапшу на 30 минут. Нарезать лапшу кусочками длиной 5 см. Перемешать лапшу с морепродуктами. В салат добавить тонко нарезанный огурец, нашинкованные побег лимонной травы и лист кафрского лайма. Нарезать кольцами лук-шалот и добавить его в салат. Добавить нарезанный зеленый лук, кинзу, листья мяты и нарезанный перец чили. Заправить салат соком лайма и соусом к рыбе. Перемешать, выложить салат на тарелки и подать на стол, украсив веточками кинзы.

САЛАТ ИЗ КАЛЬМАРА

- *6 ст. ложек соевого соуса*
- *2 кг репчатого лука*
- *6 зубчиков чеснока*
- *4 кг кальмаров*
- *2 кг моркови*
- *перец по вкусу*

Очистить тушки кальмара и отварить их в течение 10 минут в подсоленной воде. Откинуть кальмары на дуршлаг и дать воде стечь. Нарезать кальмары тонкими полосками и переложить в кастрюлю. Нарезать кольцами лук, натереть морковь на терке. Обжарить нарезанные продукты на масле до золотистой корочки. Обжаренные продукты переложить в кастрюлю с кальмарами. Добавить измельченный чеснок, перец и соевый соус. Все ингредиенты тщательно перемешать. Настоять салат в течение 6 часов. Переложить в салатницу и подать на стол.

6 ч 20 мин

ЗАКУСКА ИЗ ТИГРОВЫХ КРЕВЕТОК С СЫРОМ

- *400 г филе креветок*
- *800 г сыра*
- *80 мл растительного масла*
- *1 веточка укропа*

Сыр нарезать небольшими ломтиками. Каждую креветку завернуть в сыр в виде рулета. Противень смазать маслом и поместить на него рулеты. Противень поставить в духовку на 20 минут. Подавать в холодном виде, украсив веточкой укропа.

Растительное масло используется для приготовления традиционных блюд всех народов мира.

КАЛЬМАР В СОУСЕ

- 500 г кальмаров
- 80 г спаржи
- 100 г брокколи
- 80 г шампиньонов
- 4 зубчика чеснока
- перец чили
- растительное масло

Для соуса:
- 150 мл соевого соуса
- 450 мл сухого белого вина
- тертый имбирь
- чеснок
- сахар
- крахмал

Вино подогреть, затем поджечь. Соединить с соевым соусом, тертым имбирем и измельченным чесноком. Полученную смесь варить не более 5 минут, затем процедить. Затем снова поставить на слабый огонь, добавить сахар и варить, постоянно помешивая. Добавить крахмал. Чеснок и перец чили нарезать, после чего обжарить на растительном масле в течение 3 минут. Затем нарезать брокколи, спаржу, шампиньоны и жарить на растительном масле 5 минут. Обработать кальмары, нарезать их и добавить к жареным овощам. Добавить соус и убрать с огня.

50 мин

35 мин

ЗАКУСКА ИЗ КРЕВЕТОК В ТОМАТНОМ СОУСЕ

- *500 г замороженных креветок*
- *1 луковица*
- *3 зубчика чеснока*
- *2 ст. ложки томатной пасты*
- *лавровый лист*
- *оливковое масло*
- *черный перец горошком*
- *соль по вкусу*

Креветки разморозить. В кастрюлю налить воду, довести ее до кипения, посолить, добавить лавровый лист, черный перец горошком. Опустить в нее креветки на 2—3 минуты.

Лук очистить, нарезать кубиками. На сковороду влить оливковое масло и обжарить на нем лук до золотистого цвета. В конце жарки добавить томатную пасту. Тщательно все перемешать и тушить еще несколько минут. Не очищая креветки, добавить их к томатно-луковой смеси. Тушить в течение 20 минут. Перед окончанием тушения приправить солью, перцем и добавить измельченный чеснок. Готовую закуску положить в тарелки и подавать на стол.

Закуска из мидий с рисом

- *500 г мидий*
- *100 г риса*
- *1 стакан молока*
- *2 ст. ложки растительного масла*
- *1 ч. ложка 3%-ного уксуса*
- *1 яйцо*
- *2 помидора*
- *1 пучок зелени петрушки*
- *лавровый лист*
- *черный молотый перец*
- *соль по вкусу*

Рис вымыть, отварить в подсоленной воде. Мидии вымыть и залить холодным молоком. Добавить черный перец, лавровый лист и соль. Варить мидии в течение 20 минут, затем остудить и нарезать. Растительное масло смешать с уксусом, солью и перцем. Смешать рис и мидии, залить смесью масла с уксусом. Яйцо сварить вкрутую, очистить, нарезать. Помидоры нарезать кружочками. Выложить в салатник, украсить зеленью петрушки, кружочками яйца и помидоров.

50 мин

ВЫПЕЧКА
И ДЕСЕРТЫ

Блинчики
с морепродуктами

- *6 готовых блинов*
- *400 г мидий*
- *150 г морского гребешка*
- *80 г очищенных креветок*
- *40 г сливочного масла*
- *30 мл белого сухого вина*
- *25 г муки*
- *30 мл сливок*
- *зелень петрушки*
- *соль*

Вынуть мидий из раковин. Сок мидий процедить через марлю. Гребешки и креветки нарезать небольшими кусочками, обжарить на сливочном масле в течение 15 минут. С вином смешать сок мидий. Залить им морепродукты. Сливки смешать с мукой и добавить к остальным ингрдиентам. Выложить морепродукты на блинчики. Подавать, посыпав зеленью.

Рисовые блинчики с лососем

- *3 листа рисового теста*
- *150—200 г филе лосося*
- *1 болгарский перец*
- *1 луковица*
- *1 зубчик чеснока*
- *3 г пасты васаби*
- *1/4 апельсина*
- *1/2 лайма или лимона*
- *зелень петрушки*
- *свежий имбирь*
- *соль*

Для соуса:
- *5 ст. ложек соевого соуса*
- *5 ст. ложек рыбного бульона*
- *2 ст. ложки сахара*
- *5 ст. ложек сухого белого вина*
- *3 ст. ложки сладкого хереса*

Филе лосося нарезать тонкими пластинами. Очищенные имбирь, болгарский перец и лук нарезать тонкой соломкой. Чеснок натереть на мелкой терке и смешать с нарезанными овощами. Все заправить соком апельсина и лайма и добавить пасту васаби и соль по вкусу. Пластину из рисового теста, чтобы она стала мягкой, опустить на 1—2 секунды в горячую воду, после чего положить на нее нарезанное филе лосося и салат из овощей и завернуть в виде рулета. В сотейнике смешать белое вино, херес, рыбный бульон, соевый соус и сахар, довести до кипения, убавить огонь и варить еще 2—3 минуты. Подавать, украсив зеленью. Соус подать отдельно.

30 мин

ВОЗДУШНЫЕ ПИРОЖКИ
С БАРАНИНОЙ

- *200 г молока*
- *10 г дрожжей*
- *2 стакана муки*
- *100 г сливочного масла*
- *2 ст. ложки десертного вина*
- *2 ст. ложки водки*
- *0,5 ч. ложки соли*
- *масло для жарки*
- ***Для начинки:***
- *300 г баранины без костей*
- *1 луковица*
- *100 г шампиньонов*
- *2 ст. ложки растительного масла*
- *зелень петрушки*
- *молотый черный перец*

Замесить тесто из молока дрожжей и муки и поставить в теплое место.

Через 2 часа добавить в него соль, сливочное масло и десертное вино. Вымесить и поставить в теплое место на 1—1,5 часа.
Баранину вымыть, обсушить, срезать жир и мелко нарезать. Измельчить лук и грибы.
На глубокой сковороде разогреть растительное масло, выложить лук и обжаривать в течение 2 минут. Добавить грибы и баранину. Готовить на слабом огне 7 минут, за минуту до готовности посыпать зеленью. Снять с огня и добавить сливочное масло, перец и соль.
В масло для жарки добавить водку и нагреть. Готовое тесто раскатать в тонкий пласт, вырезать блинчики диаметром 15 см. Положить начинку, закрепить края в виде гребешка. Жарить во фритюре до золотистого цвета.

Пирожки фило с курицей и грибами

- *1 кг пшеничной муки*
- *250—350 мл воды*
- *1 ст. ложка лимонного сока*
- *4 ст. ложки оливкового масла*
- *2 ч. ложки соли*
- ***Для начинки:***
- *500 мл воды*
- *800 г филе курицы*
- *200 г шампиньонов*
- *120 г сыра*
- *20 г сливочного масла*
- *1 бульонный кубик (куриный)*
- *1 луковица*
- *1 ст. ложка рубленой зелени*
- *1 ст. ложка лимонного сока*
- *молотый черный перец*
- *соль*

В муку добавить воду, лимонный сок, соль, замесить тесто. Добавлять оливковое масло, пока тесто не станет эластичным. Накрыть пищевой пленкой и поставить в холодильник на 30—40 минут. Разделить тесто на части. Раскатать в очень тонкие пласты, смазать оливковым маслом, сложить друг на друга и снова раскатать. Шампиньоны вымыть, нарезать. На сковороду налить воду, добавить лимонный сок и бульонный кубик. В этом бульоне сварить куриное филе, вынуть. Оставшийся бульон уварить до половины объема, добавить лук, сливочное масло и грибы. Тушить 15 минут. Куриное филе нарезать, добавить зелень, тертый сыр, перец, перемешать. Тесто разделить на полоски размером 13 × 30 см. На край положить немного фарша и свернуть в виде треугольного конверта. Запекать в духовке.

1 ч 15 мин

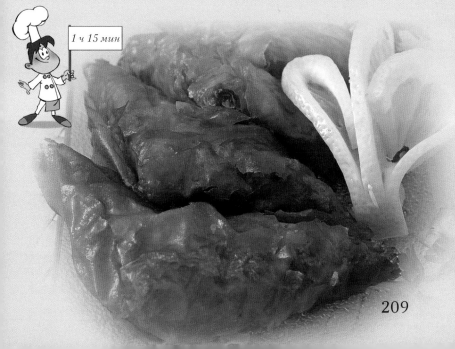

ВОЗДУШНЫЕ ПИРОЖКИ
С СУХОФРУКТАМИ

- *250 мл молока*
- *30—40 г дрожжей*
- *1 ст. ложка сахара*
- *70 г сливочного масла*
- *500 г смеси рисовой
  и пшеничной муки*
- *4 желтка*
- *2 ст. ложки рисового вина или
  десертного хереса*
- *50 мл растительного масла*
- *смесь из сухофруктов*
- *молотая корица*
- *соль*

Замесить тесто из молока, дрожжей, муки и оставить в теплом месте на 5 часов. Яичные желтки растереть с сахаром. Через 2 часа, когда тесто начнет подниматься, добавить сливочное масло, корицу, соль, сахар с желтками и рисовое вино. Вымесить тесто и оставить в теплом месте еще на 2 часа. Сухофрукты замочить в теплой воде. Хорошо поднявшееся тесто раскатать в тонкий пласт. Стаканом вырезать из него кружочки. В центр положить начинку из сухофруктов. Слепить полученные пирожки в виде мешочков. Опускать в горячее масло по 5—6 пирожков, переворачивая шумовкой. Готовые изделия выложить на салфетку, для того чтобы стек лишний жир. Подавать к зеленому чаю.

БАНАНОВЫЙ ДЕСЕРТ «АЙСУ-КУРИМУ-О КУДАСАЙ»

- *500 мл молока*
- *100 мл сливок*
- *170 г кокосовых хлопьев*
- *125 г сахара*
- *1 недозрелый банан*
- *5 яичных желтков*
- *50 г сливочного масла*
- *100 г сливочного мороженого*
- *веточка мяты*

На Востоке вместо сахара
используют конфеты
с приправами, такими как перец
и имбирь. В классической
японской кухне, десерты не
получили широкого
распространения.

Смешать молоко со сливками, нагреть на водяной бане до 90 °C. Взбить яичные желтки с сахаром, соединить с молоком. Варить, помешивая и не перегревая массу, до состояния киселя. Поставить в морозильную камеру. Банан нарезать вдоль тонкими пластинами и обжарить на сливочном масле на сильном огне. Выложить их на сервировочную тарелку, положить сверху шарик мороженого и кокосовые хлопья. Украсить веточкой свежей мяты.

50 мин

ГЛАЗИРОВАННЫЕ ОРЕШКИ

- *120 г сахара*
- *3—4 ст. ложки коньяка*
- *2 ст. ложки жидкого меда*
- *200 г очищенных грецких орехов*

В кастрюлю налить небольшое количество коньяка. Добавить жидкий мед и сахар. Закрыть крышкой и поставить на средний огонь. Нагревать до тех пор, пока не растает сахар. Смесь периодически помешивать. Когда глазурь будет готова, опустить в нее на некоторое время орехи, достать и обсушить их на плотной бумаге.

ЗАСАХАРЕННЫЙ СЛАДКИЙ КАРТОФЕЛЬ

- *600 г картофеля*
- *8 ст. ложки сахара*
- *4 ст. ложки воды*
- *2 ст. ложки соевого соуса*
- *2 ст. ложки зерен кунжута*
- *растительное масло*

Картофель вымыть, очистить, нарезать ломтиками. Залить их на 10 минут холодной водой, затем обсушить. Разогреть растительное масло и обжарить на нем картофель. Он должен зарумяниться. Вынуть шумовкой и поместить картофель на бумажную салфетку. Смешать воду с сахаром и соевым соусом, довести до кипения. Туда же высыпать обжаренные зерна кунжута.

На столе поставить горячий сироп, чашку с ледяной водой, тарелку, смазанную маслом и шумовку. Палочками брать ломтики картофеля и обмакивать в сироп, после чего немедленно опускать в чашку с водой. Затем вынуть шумовкой и выложить на блюдо.

50 мин

Хикару

- 10 шт. моркови
- 6 ст. ложки топленого масла
- 4 ст. ложки сахара
- 1/2 ч. ложка куркумы
- 1 ч. ложка измельченных семян кардамона
- 1 ч. ложка молотого кориандра
- 4 ст. ложки апельсинового либо яблочного сока
- 1 стакан минеральной воды
- 1 ч. ложка соли
- 1 щепотка черного молотого перца
- 4 ст. ложки измельченной кинзы или петрушки
- 2 ч. ложки лимонного сока
- 1/2 ч. ложки мускатного ореха

Морковь нарезать. В кастрюлю положить морковь одним слоем, полить топленым маслом, всыпать сахар, кардамон, кориандр, куркуму, добавить сок апельсина или яблока, воду, соль. Кастрюлю закрыть крышкой, поставить на огонь и довести до кипения. Когда влага полностью испарится, кастрюлю встряхнуть. Когда морковь станет блестящей, добавить перец и зелень. Перед подачей на стол полить лимонным соком и посыпать мускатным орехом.

ФУДЗУКИ

Для начинки:

- 4 сдобные булочки
- 200 г орехов
- 2 стакана вишни из варенья
- 2 стакана изюма
- 2 больших лимона
- 1 пачка маргарина
- 200 г сливочного масла
- 1 стакан подсолнечного масла
- 2 стакана сахара

Для теста:

- 8 стаканов муки
- 4 яйца
- 4 ст. ложки сметаны
- 100 мл подсолнечного масла
- 100 г сливочного масла
- 1 ч. ложка соды (погашенной)
- 1 пакетик пекарского порошка

На крупной терке натереть булки, нарезать орехи, вишню, изюм, добавить тертый лимон, сахар, растопленные сливочное масло и маргарин. Все перемешать, разделить на 8 частей.

В горке муки сделать углубление. В него разбить яйца, положить сметану, подсолнечное и сливочное масло, соду. Замесить мягкое тесто с добавлением теплой (100 мл) воды. Разделить тесто на 8 частей, раскатать, смазать подсолнечным маслом. Распределить начинку и сформовать рулеты. На 4 противня налить поровну подсолнечного масла и выложить по два рулета. Поставить в духовку, нагретую до 200 °С, через 30 минут добавить сливочное масло и выпекать еще 10—15 минут.

40 мин

Наименование продукта	A, ретинол, мг	A, β-каротин, мг	D, кальци-феролы, мкг	E, токоферо-лы, мг	C, аскор-биновая кислота, мг
Молоко коровье	0,025	0,015	0,05	0,09	1,50
Молоко сухое	0,13	0,10	0,25	0,45	4,00
Творог жирный	0,10	0,06	—	0,38	0,50
Яйцо куриное (желток)	1,26	0,26	7,70	—	—
Яйцо куриное (белок)	—	—	—	—	—
Масло подсолнечное	—	0,04	—	67	—
Масло соевое	—	0,17	—	114	—
Говядина	следы	—	—	0,57	следы
Печень говяжья	8,2	1,00	—	1,28	33
Печень свиная	3,45	—	—	0,44	21
Почки свиные	0,1	—	—	—	10
Шпроты в масле	0,14	0	20,5	—	1,5
Фасоль	—	следы	—	3,84	—
Соя	—	0,07	—	17,30	—
Крупа овсяная	—	следы	—	3,40	—
Крупа рисовая	—	0	—	0,45	—
Макаронные изделия	0	0	0	2,10	0
Батон нарезной	0	0,001	0	2,30	0
Дрожжи прессованные	0	0	—	0	0
Баклажаны	—	0,02	—	—	5
Горошек зеленый	—	0,40	—	2,60	25
Картофель	—	0,02	—	0,10	20
Лук репчатый	—	следы	—	0,20	10
Морковь красная	—	9,00	—	0,63	5
Помидоры	—	1,20	—	0,39	25
Ананас	—	0,04	—	—	20
Апельсин	—	0,05	—	0,22	60
Банан	—	0,12	—	0,40	10
Груша	—	0,01	—	0,36	5
Лимон	—	0,01	—	—	40
Шиповник	—	2,60	—	1,71	470
Яблоки летние	—	0,02	—	—	10

B_6, пиридоксин, мг	B_{12}, циано-кобаламин, мкг	H, биотин, мкг	PP, ниацин, мг	B_5, пантотеновая кислота, мг	B_2, рибофлавин, мг	B_1, тиамин, мг	B_9, фолацин, мкг
0,05	0,40	3,20	0,10	0,38	0,15	0,15	5,00
0,20	3,00	10,0	0,70	2,70	1,30	1,30	30,0
0,11	1,00	5,10	0,30	0,28	0,30	0,30	35,0
0,37	2,00	56,0	—	3,8	0,24	0,24	19,0
0,01	0,08	7,0	—	0,24	0,56	0,56	1,00
—	—	—	—	—	—	—	—
—	—	—	—	—	—	—	—
0,37	2,60	3,04	4,70	0,50	0,15	0,15	8,40
0,70	60	98	9,0	6,8	2,19	2,19	240
0,52	30	80	12,0	5,8	2,18	2,18	225
0,58	15,0	140	7,3	3,0	1,56	1,56	—
0,13	—	—	1,00	0,20	0,10	0,10	15,5
0,90	—	—	2,10	1,20	0,18	0,18	90,0
0,85	—	60,0	2,20	1,75	0,22	0,22	200,0
0,27	—	20,0	1,10	0,90	0,11	0,11	29,0
0,18	—	3,50	1,60	0,40	0,04	0,04	19,0
0,16	0	2,02	1,21	0,30	0,04	0,04	20,00
0,15	0	1,75	1,51	0,29	0,08	0,08	20,00
0,58	—	30,0	11,4	4,2	0,68	0,68	550
0,15	—	—	0,60	—	0,05	0,05	18,50
0,17	—	5,30	2,00	0,80	0,19	0,19	20
0,30	—	0,10	1,30	0,30	0,07	0,07	8
0,12	—	0,90	0,20	0,10	0,02	0,02	9
0,13	—	0,60	1,00	0,26	0,07	0,07	9
0,10	—	1,20	0,53	0,25	0,04	0,04	11
0,10	—	—	0,20	0,16	0,03	0,03	5
0,06	—	1,00	0,20	0,25	0,03	0,03	5
0,38	—	—	0,60	0,25	0,05	0,05	10
0,03	—	0,10	0,10	0,05	0,03	0,03	2
0,06	—	—	0,10	0,20	0,02	0,02	9
—	—	—	0,60	—	0,33	0,33	—
0,08	—	—	0,23	—	0,03	0,03	1,60

Сравнительная таблица объемной массы (веса) некоторых продуктов (в граммах)

Наименование продукта	Стакан тонкий (250 см³)	Стакан граненый (200 см³)	Столовая ложка	Чайная ложка	1 штука
Вода	250	200	18	5	—
Желатин в порошке	—	—	15	5	—
листик	2	5	—	—	1500
Капуста свежая средняя	—	—	—	—	100
Картофель средний	—	—	—	—	—
Кислота лимонная кристаллическая	—	—	25	8	—
Корица молотая	—	—	20,8	—	—
Крупа «Геркулес»	90	—	12	—	—
гречневая	210	165	25	—	—
манная	200	—	25	—	—
перловая	230	—	25	—	—
Кукурузная мука	160	130	30	10	75
Лук средний	—	—	—	—	—
Маргарин	230	180	15	4	—
растопленный			17	5	—
Масло животное	240	185			
растопленное	240	190	17	5	—
Масло растительное	160	130	30	—	—
Миндаль (ядро)	—	—	30	12	—
Молоко сгущенное	120	100	20	5	—
Молоко сухое	255	204	18	—	75
Молоко цельное	—	—	—	—	—
Морковь	180	150	30	10	—
Мука картофельная	160	130	30	10	100
Мука пшеничная	—	—	—	—	—
Огурец средний	170	130	30	—	—
Орех фундук	—	—	—	5	50
Перец молотый	—	—	—	—	100
Петрушка	—	—	—	—	—
Помидор средний	220	—	25	—	—
Пшено	240	180	30	10	9
Рис	200	140	—	—	—
Сахар рафинад	(22 шт.)	(16 шт.)			
	230	170	25	10	—
Сахарный песок	180	140	25	10	—
Сахарная пудра	250	200	14	5	50
Сливки	—	—	—	—	—
Свекла	250	210	25	10	—
Сметана	—	—	28	12	—
Сода питьевая	—	—	30	10	—
Соль	125	100	15	5	—
Сухари молотые	220	—	25	5	—
Томат-пюре	—	—	15	5	—
Уксус	220	—	—	—	—
Фасоль	50	40	17	2	—
Хлопья кукурузные	100	80	14	4	—
Хлопья овсяные	210	—	—	—	—
Чечевица					

Содержание

СУШИ

РОЛЛЫ

ЖАРЕНЫЕ РОЛЛЫ

САШИМИ

МИСО

ОВОЩНЫЕ БЛЮДА

БЛЮДА ИЗ РИСА

ЛАПША

ТЕМПУРА

МЯСНЫЕ БЛЮДА

МОРЕПРОДУКТЫ ПО-ЯПОНСКИ

ВЫПЕЧКА И ДЕСЕРТЫ

СУШИ — ИСТИНА ВКУСА

Ответственный редактор *А. Братушева*
Художественный редактор *А. Мусин*
Компьютерная верстка *С. Салеева*
Корректор *Ю. Уметчикова*

ООО «Издательство «Эксмо»
127299, Москва, ул. Клары Цеткин, д. 18/5. Тел. 411-68-86, 956-39-21.
Home page: **www.eksmo.ru**   E-mail: **info@eksmo.ru**

Оптовая торговля книгами «Эксмо»:
ООО «ТД «Эксмо». 142700, Московская обл., Ленинский р-н, г. Видное,
Белокаменное ш., д. 1, многоканальный тел. 411-50-74.
E-mail: **reception@eksmo-sale.ru**

По вопросам приобретения книг «Эксмо» зарубежными оптовыми
покупателями обращаться в ООО «Дип покет»
E-mail: **foreignseller@eksmo-sale.ru**

International Sales: International wholesale customers should contact «Deep Pocket» Pvt. Ltd.
for their orders. **foreignseller@eksmo-sale.ru**

По вопросам заказа книг корпоративным клиентам, в том числе в специальном оформ-
лении, обращаться по тел. 411-68-59 доб. 2115, 2117, 2118. E-mail: **vipzakaz@eksmo.ru**

Оптовая торговля бумажно-беловыми
и канцелярскими товарами для школы и офиса «Канц-Эксмо»:
Компания «Канц-Эксмо»: 142702, Московская обл., Ленинский р-н, г. Видное-2,
Белокаменное ш., д. 1, а/я 5. Тел./факс +7 (495) 745-28-87 (многоканальный).
e-mail: **kanc@eksmo-sale.ru**, сайт: **www.kanc-eksmo.ru**

Полный ассортимент книг издательства «Эксмо» для оптовых покупателей:
В Санкт-Петербурге: ООО СЗКО, пр-т Обуховской Обороны, д. 84Е. Тел. (812) 365-46-03/04.
В Нижнем Новгороде: ООО ТД «Эксмо НН», ул. Маршала Воронова, д. 3. Тел. (8312) 72-36-70.
В Казани: ООО «НКП Казань», ул. Фрезерная, д. 5. Тел. (843) 570-40-45/46.
В Ростове-на-Дону: ООО «РДЦ-Ростов», пр. Стачки, 243А. Тел. (863) 220-19-34.
В Самаре: ООО «РДЦ-Самара», пр-т Кирова, д. 75/1, литера «Е». Тел. (846) 269-66-70.
В Екатеринбурге: ООО «РДЦ-Екатеринбург», ул. Прибалтийская, д. 24а. Тел. (343) 378-49-45.
В Киеве: ООО ДЦ «Эксмо-Украина», ул. Луговая, д. 9. Тел./факс: (044) 501-91-19.
Во Львове: ТП ООО ДЦ «Эксмо-Украина», ул. Бузкова, д. 2. Тел./факс (032) 245-00-19.
В Симферополе: ООО «Эксмо-Крым» ул. Киевская, д. 153. Тел./факс (0652) 22-90-03, 54-32-99.
В Казахстане: ТОО «РДЦ-Алматы», ул. Домбровского, д. 3а. Тел./факс (727) 251-59-90/91.
gm.eksmo_almaty@arna.kz

Мелкооптовая торговля книгами «Эксмо» и канцтоварами «Канц-Эксмо»:
127254, Москва, ул. Добролюбова, д. 2. Тел.: (495) 780-58-34.

Полный ассортимент продукции издательства «Эксмо»:
В Москве в сети магазинов «Новый книжный»:
Центральный магазин — Москва, Сухаревская пл., 12. Тел. 937-85-81.
Волгоградский пр-т, д. 78, тел. 177-22-11; ул. Братиславская, д. 12, тел. 346-99-95.
Информация о магазинах «Новый книжный» по тел. 780-58-81.
В Санкт-Петербурге в сети магазинов «Буквоед»:
«Магазин на Невском», д. 13. Тел. (812) 310-22-44.

Подписано в печать 18.07.2008.
Формат 60x100$^1/_{16}$. Печать офсетная. Бумага мелованная. Усл. печ. л. 12,6.
Тираж 7000 экз. Заказ 5109.
Отпечатано с готовых файлов заказчика в ОАО «ИПК
«Ульяновский Дом печати». 432980, г. Ульяновск, ул. Гончарова, 14